11.55

INDUSTRIE ET ROBOTIQUE

ROBERT LAFFONT

Le Grand Quid Illustré est une production Michèle Fremy. Éditeur général : Guy Schoeller

© 1985 Éditions Robert Laffont, S.A., 6, place Saint-Sulpice 75006 Paris
Droits de reproduction et de traduction réservés pour tous pays, y compris l'URSS
ISBN : 2.221.04787.7

Industrie et robotique

Né avec le XIXe siècle, le développement du machinisme va donner à l'« homme mécanicien » une puissance jusqu'alors jamais acquise. La révolution industrielle a touché tous les principaux secteurs de l'activité humaine : c'est à ceux-là que nous nous intéressons.

Table des matières

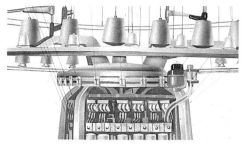
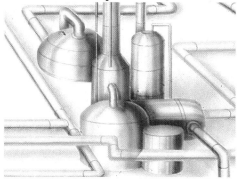
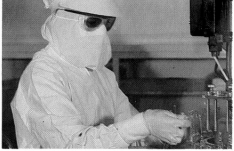

Le Creusot
Gisement houiller exploité au XVIIIᵉ siècle, Le Creusot connaît un réel essor quand les frères Schneider prennent la direction des usines métallurgiques en 1837

Ouvriers d'une cokerie
Dans les cokeries transformant le charbon en coke, les conditions de travail des ouvriers sont extrêmement rudes

Transports
Les progrès de la métallurgie permettent la construction des ponts métalliques qu'exige l'extension du réseau ferroviaire. Le fameux pont suspendu de Brooklyn, édifié en 1883, supporte deux voies ferrées, deux routes carrossables et un chemin pour les piétons

Près des grands gisements houillers des bassins de Birmingham et de Glasgow en Grande-Bretagne mais aussi de Seraing en Belgique et du Creusot en France, la métallurgie lourde commence à installer ses usines. Dominé par les hauts fourneaux qui dressent leurs cheminées dans le ciel comme jadis les cathédrales, le paysage industriel s'impose. Les campagnes environnantes, elles aussi, se transforment, révolutionnées par l'apparition de la locomotive à vapeur. Beaucoup de petits paysans gagnent les usines ou la mine qui n'hésitent pas à recruter leurs jeunes enfants. Sur ces hauts lieux du capitalisme naissant qui font la fortune de quelques grandes familles apparaissent les premières concentrations ouvrières avec leurs quartiers misérables, leurs taudis où la maladie et la mort demeurent familières.

Sur la voie du progrès

Au Moyen Age et à la Renaissance, l'ensemble des techniques existant en Occident repose essentiellement sur l'emploi du bois, comme matériau et comme source de chaleur, et sur l'énergie mécanique fournie par l'eau. Certes, les métaux ne sont pas méconnus : le fer, en particulier, joue un rôle important. Mais ce fer, obtenu par fusion du minerai dans des « bas fourneaux », est de mauvaise qualité : inhomogène, cassant, difficile à travailler. On ne sait pas en faire des pièces précises, comme des engrenages ou des machines-outils.

L'apparition du haut fourneau

Un progrès essentiel est l'apparition du haut fourneau, à la fin du XVᵉ siècle, semble-t-il, dans la région de Liège. Dès cette époque, le haut fourneau possède les principales caractéristiques qu'il conserve encore aujourd'hui : cuve verticale chargée en continu par le haut d'un mélange de minerai de fer et d'un agent réducteur (le charbon de bois à l'époque) ; injection d'air (alors par soufflets) à la base de la cuve, de manière à faire brûler partiellement le charbon, et à porter le mélange à plus de 1 100 °C ; descente progressive du minerai qui se transforme en fonte, c'est-à-dire en un alliage de fer et de carbone ; recueil de la fonte liquide dans un creuset à la base de la cuve. Mais l'âge du métal ne commence vraiment qu'au XVIᵉ siècle. Les techniques métallurgiques progressent : les premiers laminoirs apparaissent peu après les hauts fourneaux, de même que les fonderies (où le fer est découpé en barres) et les tréfileuses hydrauliques (fabrication de fils de fer).

La trilogie fer-houille-vapeur

L'âge du métal n'est cependant pas encore la révolution industrielle. Celle-ci ne surviendra qu'au XVIIIᵉ siècle, grâce à un changement complet des bases techniques de la civilisation. Le bois va non seulement être remplacé par le fer comme matériau mais aussi par le charbon comme source de chaleur. Quant à l'énergie hydraulique, elle va laisser la place à la force mécanique de la machine à vapeur. Autrement dit au système technique « bois-eau » qui dominait le monde depuis des siècles se substitue la trilogie fer-houille-vapeur qui va permettre la révolution industrielle. Dans le domaine de l'énergie, le progrès décisif est évidemment la machine à vapeur de James Watt brevetée en 1769. Dans le domaine sidérurgique, l'avance la plus importante est le remplacement du charbon de bois par le coke (obtenu par combustion en vase clos de la houille) dans les hauts fourneaux, effectué pour la première fois en 1709 par l'industriel anglais Abraham Darby.

Une nouvelle dimension du machinisme

Avec l'énergie, la fonte, le fer abondants, le machinisme va accéder à une nouvelle dimension : les usines, où s'installe la division du travail, succèdent aux ateliers et aux manufactures ; la standardisation se développe (en 1835, par exemple, le Français Pinet de Châtellerault introduit la pointure des chaussures) et avec elle devient possible la production en série ; les rendements s'accroissent ; de nouvelles branches industrielles, telle la chimie, naissent. La révolution industrielle est en route.

Cowper

Les *cowpers* réchauffent l'air qui, insufflé par les tuyères, permet la combustion du coke

Cheminée

Cloche

Sortie des gaz

Haut fourneau
Le haut fourneau proprement dit se compose du gueulard au sommet, d'une cuve blindée garnie de briques réfractaires au centre et du creuset à la base

Pour réduire le minerai de fer en fonte, le haut fourneau fonctionne comme un échangeur entre un flux descendant de matière solide puis liquide et un flux ascendant de gaz

Arrivée de la charge

...ud

Gueulard

Soufflante

La charge de coke et de minerai de fer arrivant par bennes, par *skips* ou par bandes est enfournée dans le gueuloir

L'air est mis sous pression par des machines soufflantes

Dépoussiéreur

Cuve

Dès la première moitié du XIXᵉ siècle, le coke devient le « pain de l'industrie ». En raison de ce changement, la production de fonte s'accroît considérablement pour atteindre, en Angleterre, 600 000 t en 1800. D'autre part, la technique du « puddlage », c'est-à-dire l'affinage de la fonte en fusion par brassage dans un four à réverbère, permet désormais de produire le fer en grande quantité et d'en multiplier les usages : construction de machines, d'engrenages, de charpentes métalliques. Mais le développement des voies ferrées et des machines à vapeur, parallèlement à l'évolution des connaissances chimiques, favorise la demande d'un métal techniquement meilleur, plus robuste, plus léger et plus souple. L'acier, qui n'est autre que de la fonte liquide affinée et purifiée d'une grande partie de son carbone, répondra à ce besoin. Produit à bon marché, grâce à l'invention de l'Anglais Bessemer en 1855, l'acier triomphera sur le fer à la fin du siècle.

Les gaz sortant du gueulard ont un pouvoir calorifique non négligeable. Ils sont emmenés vers les installations de dépoussiérage avant d'être réutilisés comme combustible dans l'usine

Dans le creuset se rassemblent les matières en fusion, laitier et fonte, à une température de 1 000 à 1 400 °C

Laitier

Tuyère

Provenant de la gangue du minerai, le laitier est essentiellement utilisé pour la fabrication des matériaux de construction

Fonte liquide

Gaz épurés

Creuset

L'acier: de la fusion au laminoir

Comme la fonte, l'acier est un alliage de fer et de carbone. Mais sa teneur en carbone est beaucoup plus faible : 0,1 à 1,5 % contre 2,5 à 5 % pour la fonte. En outre, il est débarrassé des impuretés (silicium, phosphore, soufre) que contient généralement celle-ci. L'acier présente de nombreux avantages sur le fer et la fonte : il est plus dur que le fer et encore durcissable par le procédé de la « trempe » (soudaine plongée de l'acier rougi dans un liquide froid). Il est élastique, et donc beaucoup moins cassant que la fonte. En bref, l'acier est presque l'alliage de fer idéal. Et de fait, c'est le grand métal de la civilisation industrielle du XXᵉ siècle : en 1979, la production mondiale d'acier atteignait 747 millions de tonnes.

La cémentation du fer

L'acier et ses remarquables propriétés sont connus depuis la haute Antiquité. Vers 1400 av. J.-C., les Hittites apprirent à le préparer par cémentation du fer, autrement dit en martelant du charbon de bois et du fer chauffé au rouge. De cette manière, on incorpore bien du carbone au fer, mais d'une manière incontrôlée et irrégulière. L'acier obtenu contient des scories, ce qui interdit d'en faire des objets de grande dimension. C'est pourquoi l'acier fut longtemps réservé à la fabrication des petits objets devant posséder une grande dureté, comme les instruments chirurgicaux et les poinçons utilisés dans la réalisation de petits caractères d'imprimerie. La méthode de la cémentation fut pratiquement utilisée jusqu'au XVIᵉ siècle, quand il devint possible de préparer de l'acier par grillage de la fonte. Un pas important fut franchi vers 1750 par le sidérurgiste anglais Benjamin Huntsman, qui mit au point la fabrication de « l'acier au creuset » : il s'agit de fondre ensemble du fer et de la fonte afin d'obtenir de l'acier de haute qualité, nécessaire à la fabrication de ressorts de montre, mais elle était coûteuse et lente.

Le convertisseur Bessemer

Il fallut attendre le milieu du XIXᵉ siècle et l'autodidacte anglais Henry Bessemer pour qu'apparaisse enfin une technique rapide et économique de conversion de la fonte en acier. Le convertisseur Bessemer, toujours utilisé, est

La technique du four électrique utilise la fusion de fontes et de ferrailles dans une sole réfractaire horizontale. L'énergie apportée par un arc électrique permet d'obtenir des températures élevées (3 600 °C) tout en parvenant à un affinage très poussé. La photographie montre un chargement d'additions (silicium, manganèse, nickel, par exemple) ; additions ayant pour objectif principal de fixer l'oxygène résiduel pour obtenir un acier « calmé ». Dans un four à induction, l'énergie électrique est apportée par des courants « induits » traversant la masse métallique en la faisant fondre et en l'agitant.

Production d'acier
(en milliers de tonnes)
URSS : 149 500
États-Unis : 127 000
Japon : 111 750
RFA : 46 040
Chine : 34 430
Italie : 24 022
France : 23 360
Royaume-Uni : 21 551
Pologne : 19 150
Canada : 16 050
Tchécoslovaquie : 15 150
Brésil : 13 730
Belgique : 13 442
Roumanie : 12 750
Espagne : 12 100
Inde : 9 500

(1979)

Coulée continue
A sa sortie du four du convertisseur, l'a est tiré vers le bas p un jeu de rouleaux

Train de laminage à profilés
Le laminage transforme les lingots en un produit fini de forme déterminée : il comprend une série de phases au cours desquelles l'acier est pressé et à chaque fois réchauffé

Train de laminage à larges bandes
Utilisé pour la fabrication des tôles, des fers marchands ou du fil machine, ce train comprend un plus grand nombre de cages finisseuses

Bloom

Avant de passer entre les cylindres des laminoirs, le « bloom » est réchauffé

Brame

Cage dégrossisseuse

Le « brame », placé sur les rouleaux, entre dans la première cage

Au fur et à mesure de son avance, la vitesse du train augmente

constitué par une cornue mobile autour d'un axe horizontal, et dont le revêtement intérieur est constitué de briques réfractaires. La cornue est inclinée pour recevoir la fonte liquide provenant du haut fourneau puis redressée avant que l'on injecte de l'air sous pression à sa base. L'air insufflé provoque la combustion d'une partie du carbone de la fonte (qui est donc décarburée) ainsi que des impuretés. La chaleur dégagée par ces combustions suffit à porter le convertisseur à 1 600 °C, c'est-à-dire au-dessus de la température de fusion de l'acier. La conversion est rapide : une vingtaine de minutes. Elle conduit à un acier de qualité moyenne. On distingue en fait les convertisseurs Bessemer et Bessemer-Thomas. Le premier, inventé en 1856, possède

un revêtement intérieur en briques argilo-siliceuses, c'est-à-dire acides. Le second, en revanche, qui date de 1876, fait appel à des briques en « dolomie » (mélange de chaux et de magnésie), ce qui leur permet de traiter des fontes phosphoreuses, comme celles produites en Lorraine. Le convertisseur Bessemer-Thomas doit son nom à l'inventeur britannique Sidney Gilchrist Thomas.

Acier Martin et acier électrique

Une technique complémentaire de la conversion Bessemer est apparue en 1865, inventée par deux métallurgistes français, Émile et Pierre Martin, le père et le fils. Elle permet de produire de l'acier à partir de ferrailles, placées dans la

sole d'un four horizontal. Cette méthode, coûteuse en énergie (fuel), permet toutefois de contrôler à plusieurs reprises la composition du métal, et d'ajouter les petites quantités nécessaires d'additifs, ce qui donne un acier bien dosé, d'excellente qualité. Grâce aux procédés Bessemer, Thomas et Martin, l'usage de l'acier se développe extrêmement vite à la fin du XIXᵉ siècle. Dès 1874, le rail d'acier supplante le rail de fer, qui disparaît pratiquement en 1885. Les tôles d'acier se substituèrent aux tôles de fer à partir de 1891. En 1900, le tonnage d'acier produit dépasse celui du fer. En 1900, justement, le métallurgiste français Paul Héroult dépose un brevet pour une nouvelle technique de fabrication de l'acier : le four électrique.

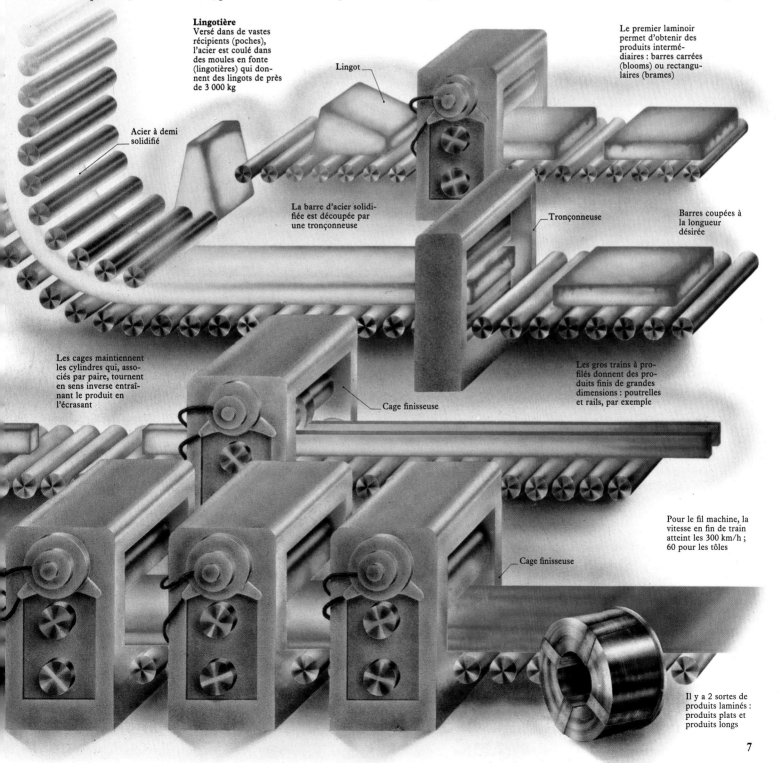

Lingotière
Versé dans de vastes récipients (poches), l'acier est coulé dans des moules en fonte (lingotières) qui donnent des lingots de près de 3 000 kg

Lingot

Acier à demi solidifié

La barre d'acier solidifiée est découpée par une tronçonneuse

Le premier laminoir permet d'obtenir des produits intermédiaires : barres carrées (blooms) ou rectangulaires (brames)

Tronçonneuse

Barres coupées à la longueur désirée

Les cages maintiennent les cylindres qui, associés par paire, tournent en sens inverse entraînant le produit en l'écrasant

Cage finisseuse

Les gros trains à profilés donnent des produits finis de grandes dimensions : poutrelles et rails, par exemple

Pour le fil machine, la vitesse en fin de train atteint les 300 km/h ; 60 pour les tôles

Cage finisseuse

Il y a 2 sortes de produits laminés : produits plats et produits longs

Le travail des métaux et les machines-outils

Pour passer des ébauches sortant des fonderies (lingots, pièces coulées, tôles) à des pièces aussi complexes que le bloc-moteur ou la carrosserie d'une automobile, un grand nombre d'opérations de travail des métaux, à chaud ou à froid, sont nécessaires. Ces opérations peuvent être classées en trois grandes catégories. La première est celle des opérations de coulage, dans lesquelles le métal fondu est coulé dans un moule pour prendre une forme déterminée. Par moulage on n'obtient que des pièces relativement peu précises, auxquelles il faudra de toute façon retirer les appendices métalliques solidifiés dans les trous de coulée. Dans le cas où une précision beaucoup plus grande est indispensable (par exemple dans un bloc-moteur), le moulage est suivi d'une seconde série d'opérations, les opérations d'usinage, qui font appel à des machines-outils entaillant le métal (fraisage, alésage, taraudage, filetage, mortaisage) ou ajustant précisément sa surface (raboteuse, rectifieuse). La troisième catégorie rassemble les opérations de formage, dans lesquelles un lingot ou une tôle prennent la forme imposée par une matrice en acier spécial sous l'action d'une très forte pression. Cette pression peut être appliquée par une presse hydraulique ou d'autres techniques plus récentes.

La recherche d'une production plus élevée et des moyens d'ébaucher de grosses pièces ont conduit à créer des engins mécaniques de forgeage qui agissent soit par choc (marteaux-pilons à vapeur ou à air comprimé, moutons à planche ou à courroie), soit par pression (balanciers à plateaux de friction et presses à forger hydrauliques). Pour maintenir la qualité des pièces, le métal est chauffé dans des fours et non dans un feu de forge (ici, on ébauche en presse à forger l'arbre basse pression d'une turbine à vapeur pour centrale nucléaire).

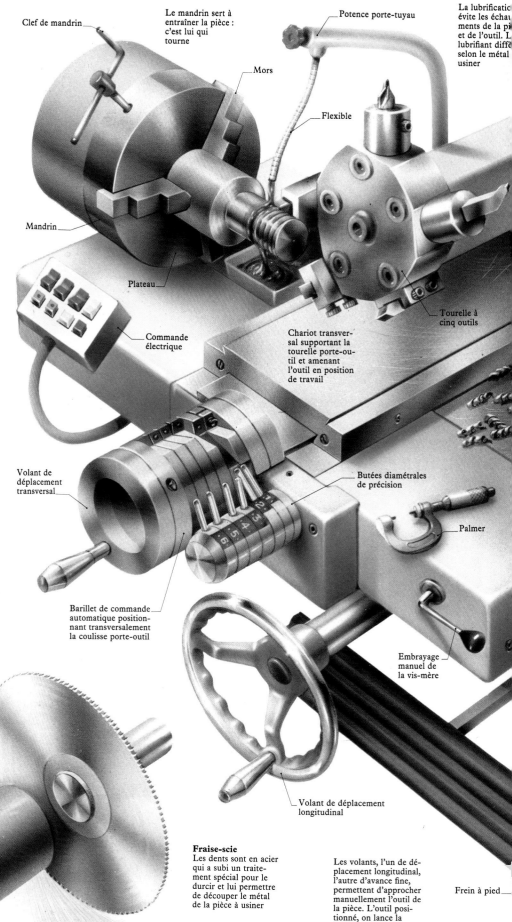

Clef de mandrin

Le mandrin sert à entraîner la pièce : c'est lui qui tourne

Potence porte-tuyau

La lubrificatio[n] évite les échau[ffe]ments de la pi[èce] et de l'outil. L[e] lubrifiant diffè[re] selon le métal [à] usiner

Mors

Flexible

Mandrin

Plateau

Commande électrique

Tourelle à cinq outils

Chariot transversal supportant la tourelle porte-outil et amenant l'outil en position de travail

Butées diamétrales de précision

Volant de déplacement transversal

Palmer

Barillet de commande automatique positionnant transversalement la coulisse porte-outil

Embrayage manuel de la vis-mère

Premier travail : découpe sur la longueur. Une fois coupée, la pièce partira pour le tournage et autres opérations d'usinage

Volant de déplacement longitudinal

Pièce brute devant être usinée

Fraise-scie
Les dents sont en acier qui a subi un traitement spécial pour le durcir et lui permettre de découper le métal de la pièce à usiner

Les volants, l'un de déplacement longitudinal, l'autre d'avance fine, permettent d'approcher manuellement l'outil de la pièce. L'outil positionné, on lance la commande automatique

Frein à pied

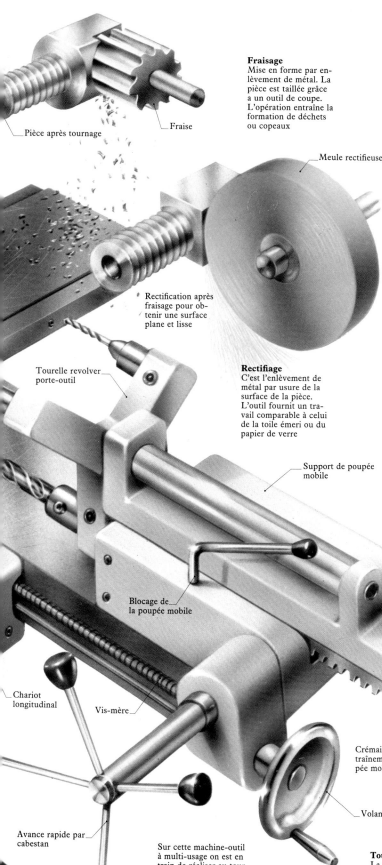

Fraisage
Mise en forme par enlèvement de métal. La pièce est taillée grâce a un outil de coupe. L'opération entraîne la formation de déchets ou copeaux

Pièce après tournage

Fraise

Meule rectifieuse

Rectification après fraisage pour obtenir une surface plane et lisse

Tourelle revolver porte-outil

Rectifiage
C'est l'enlèvement de métal par usure de la surface de la pièce. L'outil fournit un travail comparable à celui de la toile émeri ou du papier de verre

Support de poupée mobile

Blocage de la poupée mobile

La poupée mobile permet le perçage, le taraudage et la finition. Elle peut aussi supporter la contre-pointe dans certains montages

Chariot longitudinal

Vis-mère

Crémaillère pour l'entraînement de la poupée mobile

Avance rapide par cabestan

Volant d'avance fine

Sur cette machine-outil à multi-usage on est en train de réaliser au tour le filetage d'une pièce. Le rôle de la vis-mère est important, elle permet de régler l'avance du chariot longitudinal par rapport à la rotation du mandrin ; elle permet aussi d'entraîner, à travers la boîte de vitesses, toutes les avances automatiques du chariot

Tournage
La pièce à usiner est fixée sur un système de support tournant autour d'un axe fixe (mandrin). L'outil peut se déplacer parallèlement, obliquement ou perpendiculairement à cet axe. L'outil revêt différentes formes selon les opérations qu'il doit effectuer

Pour éviter certains défauts de fabrication relatifs aux interventions de l'homme et pour obtenir une plus grande précision, on a développé l'automatisation des machines utilisées dans la construction mécanique. D'où l'emploi de la commande numérique des machines-outils : commande et contrôle automatiques du processus de travail de l'outil. Les ordres à donner sont stockés dans une mémoire électronique sous forme d'informations numériques codées pour être compréhensibles par la machine (caractéristiques dimensionnelles de la pièce et de l'outil, opérations à effectuer, vitesse de travail, etc.). Ces machines à commande numérique sont mieux adaptées aux fabrications en moyennes et petites séries renouvelables. Du premier modèle manuel à la machine semi-automatique (ce tour, par exemple) puis à celle à commande numérique, le traitement des métaux est de plus en plus efficace et sophistiqué. L'utilisation des technologies modernes et des ordinateurs offre d'innombrables possibilités d'avenir aux machines-outils qui amélioreront encore les conditions de travail.

Comment moule-t-on les grandes pièces?

La technique la plus utilisée est celle du moule en sable. Elle consiste à placer un modèle, en bois par exemple, de l'objet que l'on veut reproduire dans un récipient que l'on remplit de sable, en ménageant les espaces nécessaires au coulage et à l'évacuation de l'air. Le sable est alors aggloméré, de manière à conserver la forme voulue. Le moule ainsi constitué est ouvert en deux pour permettre le retrait du modèle et l'adjonction d'éléments complémentaires représentant les parties en creux de la pièce à fabriquer. Le moule, une fois refermé, est prêt. Il ne servira qu'une fois, car il faudra le briser pour récupérer la pièce formée après solidification du métal que l'on y coule.

Quelles sont les opérations d'usinage?

L'alésage consiste à donner exactement le diamètre désiré à un trou. Le fraisage est une opération de découpage d'une pièce métallique au moyen d'un outil rotatif. Le filetage et le taraudage ont pour but de créer un pas de vis (donc une rainure hélicoïdale) à l'extérieur ou à l'intérieur d'une surface cylindrique. Le mortaisage consiste à pratiquer une cavité non cylindrique, comportant généralement des angles vifs, à l'intérieur d'une pièce.

Qui a inventé les machines-outils?

C'est un mécanicien français, Jacques de Vaucanson (1709-1782), qui inventa une première machine-outil, le tour à charioter. La machine à aléser de l'ingénieur John Wilkinson (1728-1808) date de 1772. La machine à fileter a été inventée presque simultanément par le mécanicien français Sénot (en 1795) et par l'industriel anglais Henry Maudslay (en 1797). Maudslay (1771-1831) a d'ailleurs beaucoup contribué au progrès technique des machines-outils, avec en particulier, en 1800, un tour à raboter à avance automatique du chariot. Il fallut attendre 1818 pour voir apparaître la première machine à fraiser : celle de Elias Whitney (1765-1825), réalisée pour faire face à une énorme commande (300 000 fusils) reçue par cet industriel américain. Le premier marteau-pilon a été introduit vers 1840 par le Français Eugène Bourdon (1808-1884). Les premières presses hydrauliques sont apparues vers 1860.

Comment fait-on le formage et l'usinage?

Au formage par presse hydraulique sont venus s'ajouter récemment le formage électromagnétique (la matrice est lancée à grande vitesse par un processus électromagnétique) et le formage par explosion (énergie fournie par un explosif). Dans le domaine de l'usinage de haute précision, on peut citer l'électro-érosion (attaque électrochimique du métal), le fraisage chimique (attaque par des produits chimiques), l'usinage par ultrasons (mise en mouvement d'un abrasif par des vibrations ultrasonores), et le découpage de pièces par laser.

Y a-t-il des machines-outils géantes?

Pour usiner les cuves de réacteurs nucléaires, on utilise des machines à aléser dont le poids dépasse 600 tonnes. Les plus puissantes presses hydrauliques mesurent 34 m de haut et exercent des forces de 65 000 tonnes.

Les métaux non ferreux: des recettes d'industriels

De tous les métaux non ferreux, l'aluminium est celui qui revêt la plus grande importance économique. Seul, ou sous forme d'alliages, il est indispensable dans les secteurs de l'électrotechnique, de l'aéronautique, de l'espace. Il est presque aussi solide que l'acier, presque aussi bon conducteur que le cuivre, mais beaucoup plus léger que ces deux métaux traditionnels : sa densité n'est que de 2,7. C'est aussi le métal le plus abondant de l'écorce terrestre. Toutefois, sa production reste relativement réduite : 12 millions de tonnes seulement en 1980, dans l'ensemble du monde, soit une production 60 fois inférieure à celle de l'acier.

La découverte de l'aluminium

L'explication de ce paradoxe est la très grande réactivité de l'aluminium. Celui-ci n'existe pas à l'état libre dans la nature. Bien au contraire, il est toujours lié très fortement à d'autres éléments, comme l'oxygène. Ce fait est à l'origine de la découverte tardive de l'aluminium : il ne fut isolé qu'en 1825, par le physicien danois Christian Oersted, qui réduisit du chlorure d'aluminium au moyen de potassium. Deux ans plus tard, le chimiste allemand Friedrich Wöhler parvint à produire des petits lingots de ce métal. Mais la production industrielle était encore bien éloignée. Un premier procédé fut proposé en 1854 par le chimiste français Henri Sainte-Claire Deville qui faisait appel à la décomposition du chlorure d'aluminium par le sodium. Mais avec cette méthode, l'aluminium coûtait 5 000 F le kg !

Les progrès décisifs

La bonne technique consistait à recourir à l'électricité, ou plus exactement à l'électrolyse : l'alumine, autrement dit l'oxyde d'aluminium, se décompose en effet sous l'action du courant électrique. Il suffit de la fondre dans une cuve à électrolyse, et de recueillir l'aluminium à la cathode (électrode négative) pendant que l'oxygène se dégage à l'anode (électrode positive). Ce procédé fut découvert simultanément en 1896 par le métallurgiste français Paul Héroult (inventeur par ailleurs de l'aciérie électrique) et par le physicien américain Charles Martin Hall. Il conduisit à la réduction du prix de l'aluminium et se trouve à la base de l'industrie actuelle de l'aluminium.

Une production électrolytique

La production électrolytique de l'aluminium est malgré tout difficile à mettre en œuvre. Tout d'abord, il faut séparer l'alumine des impuretés auxquelles elle est mêlée dans le minerai le plus courant, la bauxite (initialement découvert en France, aux Baux-de-Provence). Ensuite, il faut électrolyser cette alumine, qui est un composé ne fondant qu'à 2 000°C. La séparation de l'alumine est effectuée par le procédé Bauer, qui remonte lui aussi à la fin du siècle dernier et qui consiste à attaquer la bauxite par une lessive de soude. Cette opération est précédée d'un broyage du minerai et elle produit une quantité très importante de déchets : les « boues rouges », dont il est difficile de se débarrasser sans nuire à l'environnement. Elle est suivie de la phase finale pour l'élaboration de l'aluminium : l'électrolyse proprement dite.

C'est par l'électrolyse que s'achève le long processus de fabrication de l'aluminium commencée bien plus tôt par le broyage de la bauxite. L'opération d'électrolyse porte sur l'alumine, ou oxyde d'aluminium, et se déroule dans une cuve spéciale. Elle s'est longtemps heurtée à un problème difficile : la température de fusion très élevée de l'alumine. Cette difficulté a été résolue en mélangeant l'alumine à un autre composé, la cryolithe (fluorure double d'aluminium et de sodium). Le mélange alumine-cryolithe fond en effet à 1 000°C seulement. L'électrolyse est réalisée sous faible tension (4 à 5 V) mais avec des courants élevés : 130 000 A. Disposées en lignes, les cuves d'électrolyse sont formées d'une armature métallique revêtue intérieurement de graphite. Elles constituent les ca-

thodes sur lesquelles vient se déposer l'aluminium liquide. Les anodes sont mobiles et suspendues au-dessus des bains d'alumine et de cryolithe. Parvenus aux électrodes, les ions de ce mélange se déchargent, donnant naissance à des atomes neutres : c'est l'électrolyse.

Après avoir été filtrée et débarrassée de son eau dans le four, l'alumine est refroidie

Refroidisseur

L'alumine est stockée dans des silos puis expédiée vers les usines d'électrolyse

Silos

Anode dans du carbone

Tige d'anode

L'anode s'enfonce dans le bain en fonction de son usure

Carbone

Poudre d'alumine

Siphon

Électrolyte

Aluminium

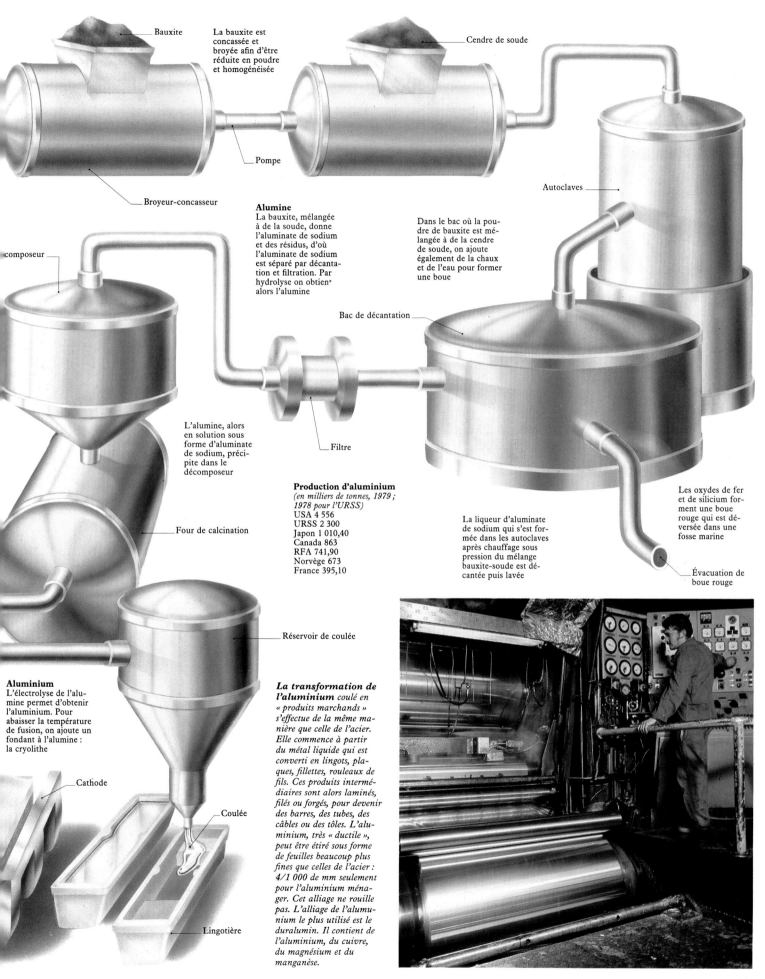

Bauxite

La bauxite est concassée et broyée afin d'être réduite en poudre et homogénéisée

Cendre de soude

Pompe

Broyeur-concasseur

Autoclaves

Alumine
La bauxite, mélangée à de la soude, donne l'aluminate de sodium et des résidus, d'où l'aluminate de sodium est séparé par décantation et filtration. Par hydrolyse on obtien⁺ alors l'alumine

Dans le bac où la poudre de bauxite est mélangée à de la cendre de soude, on ajoute également de la chaux et de l'eau pour former une boue

composeur

L'alumine, alors en solution sous forme d'aluminate de sodium, précipite dans le décomposeur

Bac de décantation

Filtre

Four de calcination

Production d'aluminium
(en milliers de tonnes, 1979 ; 1978 pour l'URSS)
USA 4 556
URSS 2 300
Japon 1 010,40
Canada 863
RFA 741,90
Norvège 673
France 395,10

La liqueur d'aluminate de sodium qui s'est formée dans les autoclaves après chauffage sous pression du mélange bauxite-soude est décantée puis lavée

Les oxydes de fer et de silicium forment une boue rouge qui est déversée dans une fosse marine

Évacuation de boue rouge

Réservoir de coulée

Aluminium
L'électrolyse de l'alumine permet d'obtenir l'aluminium. Pour abaisser la température de fusion, on ajoute un fondant à l'alumine : la cryolithe

Cathode

Coulée

La transformation de l'aluminium coulé en « produits marchands » s'effectue de la même manière que celle de l'acier. Elle commence à partir du métal liquide qui est converti en lingots, plaques, fillettes, rouleaux de fils. Ces produits intermédiaires sont alors laminés, filés ou forgés, pour devenir des barres, des tubes, des câbles ou des tôles. L'aluminium, très « ductile », peut être étiré sous forme de feuilles beaucoup plus fines que celles de l'acier : 4/1 000 de mm seulement pour l'aluminium ménager. Cet alliage ne rouille pas. L'alliage de l'aluminium le plus utilisé est le duralumin. Il contient de l'aluminium, du cuivre, du magnésium et du manganèse.

Lingotière

11

Industries de la petite mécanique

Comme son nom l'indique, le secteur de la petite mécanique produit du matériel de petites dimensions : outillage, appareils ménagers et toutes sortes d'instruments susceptibles d'être utilisés par une personne seule, contrairement au matériel lourd qui demande l'intervention de plusieurs individus. Les origines de la petite mécanique sont lointaines ; de tout temps, en effet, les hommes ont éprouvé le besoin et découvert la technique pour créer des outils ou des appareils de mesure. Ainsi furent mis au point un certain nombre d'instruments et de petites machines, mais dont il n'exista longtemps que très peu d'exemplaires. Ce n'est vraiment qu'au XIXᵉ siècle que la réalisation en série de ces instruments se développe. S'il existait déjà, par exemple, des machines mécaniques à peser, mouler et envelopper le chocolat, les premiers accessoires de couture (épingles de laiton et agrafes) apparaissent au début de ce premier siècle industriel. A partir de 1850, plusieurs inventions vont accroître le secteur de la petite mécanique : machines à plier les enveloppes, scies, machines à écrire, à laver, vélos, etc. Depuis, le secteur de la petite mécanique s'est fortement diversifié. Mais les progrès de la science ont parfois contribué à transformer plusieurs appareils alors mécaniques en appareils électroniques : les machines à calculer et les montres sont à ce titre exemplaires.

Étonnante mécanique, la bicyclette d'aujourd'hui résulte d'un assemblage de grande précision. Elle a bénéficié des progrès de la sidérurgie, puisqu'elle n'est plus en bois mais en acier. De toutes les matières utilisées par l'industrie du cycle, l'acier au carbone occupe la première place, l'aluminium et le titane viennent ensuite. Mise à la mode par les performances du cyclisme, la bicyclette compte ses adeptes par millions : courses, randonnées, promenades du dimanche... à chacun ses spécialités. Il existe aujourd'hui une trentaine de modèles : de la bicyclette de ville et de campagne, à cadre col de cygne ou à cadre pliable largement ouvert, au vélo de course, à cadre sans raccord, léger comme l'air ; la gamme est grande et variée, les prix aussi. Constituée d'une quarantaine de pièces montées dans des ateliers, la bicyclette demeure aujourd'hui un des produits pilotes de la petite mécanique.

La fabrication d'une bicyclette passe par trois opérations successives : le montage du cadre et de la fourche, l'émaillage et le montage des équipements

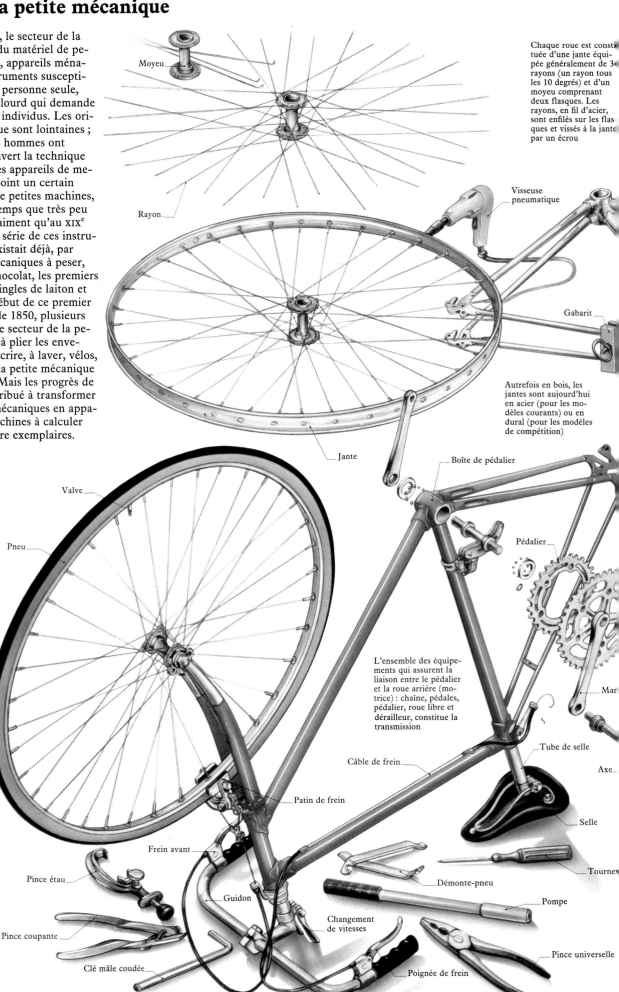

Moyeu

Rayon

Chaque roue est constituée d'une jante équipée généralement de 3[?] rayons (un rayon tous les 10 degrés) et d'un moyeu comprenant deux flasques. Les rayons, en fil d'acier, sont enfilés sur les flasques et vissés à la jante par un écrou

Visseuse pneumatique

Gabarit

Autrefois en bois, les jantes sont aujourd'hui en acier (pour les modèles courants) ou en dural (pour les modèles de compétition)

Jante

Valve

Pneu

Boîte de pédalier

Pédalier

Mar[...]

L'ensemble des équipements qui assurent la liaison entre le pédalier et la roue arrière (motrice) : chaîne, pédales, pédalier, roue libre et dérailleur, constitue la transmission

Tube de selle

Axe

Câble de frein

Patin de frein

Selle

Tourne[...]

Frein avant

Pince étau

Démonte-pneu

Guidon

Pompe

Changement de vitesses

Pince coupante

Clé mâle coudée

Poignée de frein

Pince universelle

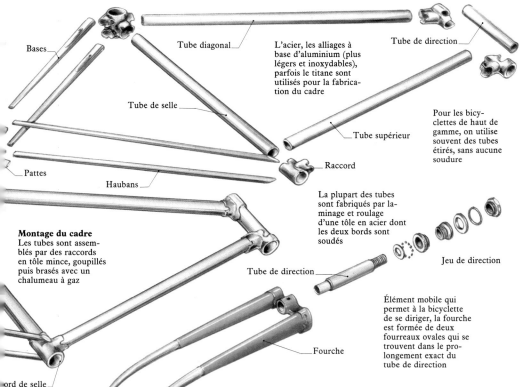

Bases

Tube diagonal

L'acier, les alliages à base d'aluminium (plus légers et inoxydables), parfois le titane sont utilisés pour la fabrication du cadre

Tube de direction

Tube de selle

Tube supérieur

Pour les bicyclettes de haut de gamme, on utilise souvent des tubes étirés, sans aucune soudure

Pattes

Haubans

Raccord

La plupart des tubes sont fabriqués par laminage et roulage d'une tôle en acier dont les deux bords sont soudés

Montage du cadre
Les tubes sont assemblés par des raccords en tôle mince, goupillés puis brasés avec un chalumeau à gaz

Jeu de direction

Tube de direction

Élément mobile qui permet à la bicyclette de se diriger, la fourche est formée de deux fourreaux ovales qui se trouvent dans le prolongement exact du tube de direction

Fourche

ord de selle

Émaillage
Après le montage du cadre et de la fourche, on procède à l'émaillage au pistolet, ou bien au chromage dans un bain d'oxyde de chrome

Montage des équipements
Le « montage en noir » s'effectue dans un ordre précis qui s'achève par le montage du guidon et des poignées de frein. Après le réglage des freins, la bicyclette est prête pour la vente.

Dérailleur

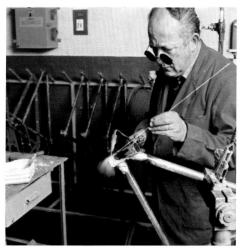

chaîne porte de 110 8 maillons ier

Chaîne

Maillon

Le montage en blanc regroupe l'assemblage brut des pièces constituant le cadre et la fourche. Le montage du cadre nécessite à lui seul 8 tubes d'acier : tube horizontal, tube diagonal, tube de selle, deux bases, deux haubans et tube de direction, ainsi que divers accessoires indispensables : boîte de pédalier, pattes arrière, raccords de selle et de direction. Le montage débute toujours par la « casure », c'est-à-dire l'avant-corps du cadre : il assemble le tube diagonal par un raccord avec le tube de direction. La deuxième opération consiste à réunir, par la boîte de pédalier, la « canne » au tube de selle : c'est le montage du triangle, fermé dans sa partie supérieure par le tube du haut, reliant le tube de selle au tube de direction. L'ensemble est mis au plan, pointé, dégauchi, brasé : les douilles de selle et de direction sont usinées, la fourche arrière est placée : le cadre complet sera alors équipé de ses accessoires.

Roulement à billes

Pédale

Clé plate

Écrou

Les pédales sont montées sur un double roulement à billes. Leur axe est vissé sur la manivelle. Il en existe de diverses formes suivant les modèles. Elles sont parfois équipées d'un cale-pied.

Pendules et montres: quelle différence?

Les premières marchent grâce à un pendule tandis que dans les autres la fonction du pendule est assurée par un balancier. Le pendule est une petite masse destinée à se balancer au bout d'une tige rigide et qui, lorsqu'il arrive à sa déviation maximale, entraîne l'« ancre », petite pièce qui libère une dent de la roue dentée permettant à cette dernière d'avancer alors d'un cran. Le balancier, lui, est fixé sur un ressort qui assure le mouvement oscillant.

Qui inventa le sténotype?

Le premier modèle de machine destinée à transcrire les textes à la vitesse de la parole a été imaginé par l'Américain William Austin Burt. C'était une machine à touches qui inscrivait non pas des lettres mais des signes. Par l'alternance de noir et de blanc dans un carré découpé en quatre parties, on arrivait à une combinaison de 16 signes dans lesquels étaient réparties les lettres de l'alphabet.

Qui inventa la machine à calculer?

La première machine arithmétique construite ne fut pas celle de Pascal, plus connue, mais celle de Wilhelm Schickard qui, en 1623, mit au point une machine pouvant exécuter mécaniquement les quatre opérations de base et qui comportait un système de report automatique des retenues. Mais cette machine fut hélas détruite dans un incendie, et il n'en reste aujourd'hui qu'un dessin assez imprécis.

De quoi se compose un rabot?

Le fût ou corps, pièce de bois qui assure la stabilité sur la pièce à façonner ; la gueule, ouverture qui permet l'évacuation des copeaux ; la semelle qui repose sur la pièce de bois à raboter ; la lumière ou œil, ouverture qui précise la qualité du rabotage ; le fer ou lame qui est la partie coupante du rabot ; le contre-fer qui évite les éclats, et enfin le coin qui tient le fer dans le fût.

Les scies ont-elles la même denture?

Selon le travail à effectuer, la disposition des dents d'une scie change. Pour les métaux durs, il faut une denture fine, pour les métaux tendres, au contraire, une denture grossière. Il en est de même pour les scies à bois. On calcule le nombre de dents par pouce, ainsi une denture fine a-t-elle 30 dents par pouce. De plus, pour diminuer le frottement latéral de la lame et éviter son blocage, on donne de la « voie » à la denture, cela s'appelle l'avoyage.

La bicyclette a-t-elle un secret?

Équilibriste de la route, cette merveilleuse petite mécanique possède un secret pour ne pas tomber. Deux raisons expliquent sa remarquable qualité d'équilibriste : la force centrifuge et l'effet gyroscopique des roues qui s'appliquent au centre de gravité commun de la bicyclette et du cycliste. Le déplacement d'un vélo ne se fait jamais en ligne droite mais par des successions de petites courbes vers la droite puis vers la gauche; ce sont justement ces discrètes « déviations » qui, alliées à la vitesse de la course, permettent le maintien de l'équilibre.

Comment fonctionne une boîte à musique?

L'invention du peigne métallique à lames vibrantes par un horloger genevois contribua à la réalisation des boîtes à musique. Kintzing et Davranville mirent au point des orgues mécaniques qui comportaient à l'époque un jeu de trois ou cinq cylindres permettant un répertoire de musique enregistrée. Le cylindre à picots rendit possible la construction d'automates musicaux, ainsi la célèbre « musicienne » des horlogers suisses Jaquet-Droz et Leschot.

Qu'est-ce qu'un proginographe?

Si les machines à écrire modernes fonctionnent soit à l'aide d'une boule sur laquelle sont reproduits les caractères, soit grâce à de longues tiges rangées en corbeille, la première machine à écrire était conçue tout à fait différemment et composée d'une grande roue portant sur la tranche des bandes interchangeables sur lesquelles les caractères étaient gravés en relief. La roue était tournée à la main et bloquée dans la position de frappe par un cran d'arrêt.

Le ciment, ses dérivés et les céramiques

Avec une production mondiale voisine de 600 millions de tonnes en 1980, le ciment est l'un des principaux matériaux industriels. Cette importance s'explique par son rôle essentiel dans les secteurs du bâtiment (consommant 80 % du ciment produit) et des travaux publics (les 20 % restants). Ce sont les travaux d'un ingénieur français, Louis Vicat (1786-1861), qui sont à l'origine de l'industrie du ciment. Au début du XIXe siècle, Vicat s'aperçut qu'en additionnant un pourcentage important d'argile à du calcaire on obtenait un « liant hydraulique » bien meilleur que la chaux, une poudre qui, mélangée avec de l'eau dans certaines proportions, « prenait » rapidement en masse, avant de durcir.

Le ciment de Portland

Le type de ciment le plus répandu aujourd'hui est le « portland », inventé en 1824 par l'Anglais Aspdin de Leeds. Il comprend environ 25 % d'argile, et « prend » par addition d'une proportion voisine de 25 %. Il contient une faible quantité de gypse (la « pierre à plâtre »), dont le rôle est de régulariser la « prise ». Ce ciment gris ressemblait à une pierre extraite des carrières de la presqu'île de Portland, ce qui lui valut son nom. D'autres types de ciment sont obtenus en ajoutant à l'argile et au calcaire (après cuisson de ceux-ci) divers additifs : cendres volcaniques, cendres de charbon, résidus de la production des fontes et des aciers. On obtient ainsi des ciments différents par leurs rapidités de prise et de durcissement, et leurs résistances mécaniques. La prise rapide demande moins de 20 minutes. Le durcissement demande de 2 jours à 3 semaines environ. Quant à la résistance, elle est déterminée au bout de 28 jours, par la pression à laquelle le ciment se désagrège. Le portland est un ciment à prise et à durcissement rapides, de résistance élevée.

La fabrication du béton

L'un des principaux usages du ciment est la fabrication du béton. Celui-ci est obtenu en mélangeant du ciment et de l'eau à du sable, des graviers ou des cailloux. Au contact de l'eau, le ciment réagit, liant fortement entre eux les composants de ce mélange. Actuellement, le béton constitue le matériau de base de la construction. Il peut être fabriqué sur les chantiers grâce à de petites bétonnières mobiles, ou préparé en quantités industrielles et livré sur les lieux d'utilisation grâce à des camions spéciaux munis de citernes dites toupies rotatives.

Divers types de bétons

Selon les composants du mélange on distingue : le béton ordinaire, dit de masse, qui ne supporte que des efforts assez faibles ; le béton armé, renforcé par une armature métallique ; le béton caverneux, dont la part importante des vides (un tiers environ du volume) réduit le poids des ouvrages ; le béton précontraint, mis sous tension à l'aide de câbles, et destiné à la réalisation d'ouvrages nécessitant de fortes résistances (ponts, coffrages de réacteurs nucléaires) ; enfin, le béton réfractaire, fait avec du ciment alumineux et destiné à supporter de très hautes températures, et le béton clair, obtenu à partir du ciment blanc et utilisé pour le revêtement de façades.

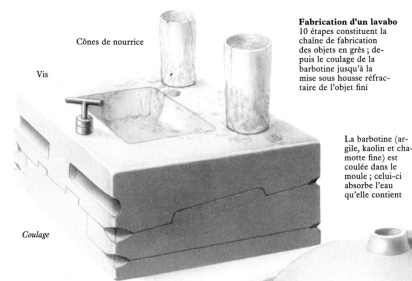

Cônes de nourrice

Vis

Coulage

Fabrication d'un lavabo
10 étapes constituent la chaîne de fabrication des objets en grès ; depuis le coulage de la barbotine jusqu'à la mise sous housse réfractaire de l'objet fini

La barbotine (argile, kaolin et chamotte fine) est coulée dans le moule ; celui-ci absorbe l'eau qu'elle contient

Les industries céramiques font appel à une grande variété de matériaux, les uns étant poreux, les autres imperméables. La première catégorie comprend les terres cuites communes, composées d'argiles mélangées à du sable dont on fait par exemple des briques et des pots de fleurs ; la faïence italienne, composée d'argiles jaune orangé, de sable et souvent recouverte d'un vernis transparent dont on fait des objets de vaisselle courante ; la faïence fine ou anglaise, composée d'argile mélangée à du silex, de la craie, du kaolin ou des feldspaths ; quant aux terres cuites poreuses renfermant des oxydes d'aluminium, de thorium, de béryllium et de zirconium, elles deviennent réfractaires et sont utilisées dans la fabrication des fours. La seconde catégorie comprend des argiles vitrifiées, c'est-à-dire les grès cérames, communs et fins, et la porcelaine, tendre ou dure. C'est avec du grès fin, qui est ensuite émaillé, que sont fabriqués les lavabos ou autres accessoires de salle de bains.

Une fois démoulée, la pièce est vérifiée ; toutes les traces de moule sont effacées

Pièce démoulée

Séchage

Moule

La pièce est soumise à une température de 90° durant 24 h

Pistolet à engobe

La technologie du béton préfabriqué a révolutionné les données de la construction dans le sens où elle a permis d'industrialiser un secteur considéré jusqu'alors comme difficile à moderniser. Coulé dans des moules, le béton permet d'obtenir toute une gamme de produits les plus divers ; parpaings pour la construction des murs, panneaux muraux avec ouvertures standardisées, dalles, canalisations, carreaux de sol, bordures de trottoir ou éléments de toiture. Aujourd'hui, le béton préfabriqué permet de gagner du temps tout en garantissant des qualités des plus satisfaisantes. Grâce à cette technologie, de nouveaux procédés de construction ont permis de rationaliser les chantiers pour abaisser les prix de revient.

22 heures après le coulage, le lavabo a pris forme ; les cônes de nourrice et les moules sont ôtés

Contre-moule en plâtre

Pistolet à émailler

Sur toute la surface de la pièce, une couche de porcelaine (engobe) est pulvérisée au pistolet

La pièce engobée est alors recouverte d'une couche d'émail, effectuée au pistolet

Engobage

Émaillage

Si les cimenteries sont généralement situées sur les sites mêmes d'extraction de l'argile ou du calcaire, c'est qu'il serait trop coûteux de transporter ces matériaux bon marché que l'industrie du ciment manipule par grandes quantités. Roche très tendre, l'argile est le plus souvent extraite par les godets d'une roue-pelle montée sur chevilles, puis acheminée par un tapis roulant vers une installation de séchage. Le calcaire, en revanche, est abattu à l'explosif, en gros blocs, qui sont ensuite broyés dans d'énormes concasseurs mobiles. Finement broyés, l'argile et le calcaire doivent alors être mélangés, soit par « voie humide » (délayage dans une grande cuve remplie d'eau), soit par « voie sèche » (par soufflage d'air dans un silo vertical). La pâte (voie humide) ou la poudre (voie sèche) ainsi obtenues sont ensuite introduites dans d'immenses fours rotatifs (plusieurs centaines de mètres de long). De ces matières, chauffées de 1 450 à 1 600° dans les fours, légèrement inclinés, on obtient un produit de cuisson appelé « clinker ». Il se présente sous forme de granulés qui sont ensuite broyés avec les additifs nécessaires à la variété de ciment souhaitée. Mis en sacs, ce matériau prêt à l'emploi est alors distribué aux divers points d'utilisation.

L'engobe permet de cacher la couleur naturelle du grès qui risquerait de nuire à la qualité de l'émaillage.

Après l'émaillage, les pièces sont cuites ; elles demeurent près de 20 h dans le four chauffé progressivement jusqu'à 1 280°

Carreau de grès

Produits céramiques
Leurs classes sont nombreuses : terres cuites, faïences, porcelaines, produits à base de grès, céramiques sanitaires, produits réfractaires

Carreau de faïence

Carreau de terre cuite

Carreau de porcelaine

Achevée et parfaite, la pièce est placée sur palette et prête à être livrée au client

Le verre: des qualités à multiples usages

L'industrie du verre est l'une des plus anciennes créées par l'homme. Elle est née voici plusieurs millénaires, à l'est de la Méditerranée, presque au même moment que les deux autres grandes industries rendues possibles par la maîtrise des hautes températures : celles de la céramique et du métal. Plutôt qu'industrie du verre, l'on devrait d'ailleurs employer l'expression « les industries des verres ». Il existe en effet une grande variété de « verres », et une grande diversité de procédés industriels ou artisanaux. Suivant les usages auxquels ils sont destinés, on peut distinguer six types de produits de l'industrie verrière : le verre à vitre ordinaire ; la glace pour les fenêtres, les portes, l'ameublement, la miroiterie, l'automobile ; les « verres creux » pour la bouteillerie et la gobeleterie ; les « verres techniques » pour l'optique, les ampoules, les tubes de téléviseur, etc. ; la fibre de verre, utilisée soit comme textile, soit dans des panneaux servant à l'isolation thermique ; et le verre travaillé à la main. Ces verres diffèrent sensiblement par leur composition, mais surtout par les techniques utilisées pour leur fabrication. Il n'y a en effet que peu de rapports entre la gigantesque usine à *floatglass,* produisant automatiquement d'immenses surfaces de glace, et l'installation artisanale du « souffleur de verre » produisant des objets de formes et de couleurs toujours changeantes. Cela étant, l'industrie verrière occupe une place très importante du point de vue économique, avec une production mondiale voisine de 70 millions de tonnes par an.

Technique d'étirage
Le tube de verre se forme lorsque l'étirage est réalisé autour d'un anneau en métal réfractaire dans lequel de l'air est soufflé. Ce tube sera ensuite fractionné

Le verre en fusion se répand sur un bain d'étain fondu rectangulaire et passe de 1 000 °C à 600 °C

Verre liquide

Après s'être stabilisée en une feuille plane, la glace est refroidie et amenée à l'étenderie

Découpe

Trempe
Ce procédé consiste à réchauffer puis à refroidir rapidement une feuille de verre provoquant la compression des couches superficielles, équilibrée par l'extension des couches internes

Glissant sur des rouleaux d'entraînement, la feuille de verre est stabilisée tout en étant recuite afin d'être nettoyée de ses éventuelles impuretés

Feuille de verre

Dans une usine moderne les opérations de *floatglass* s'effectuent sur une ligne continue de 500 m. Près de 25 m de verre y sont fabriqués à la minute

Verre dépoli

Le verre peut être façonné de multiples façons. Pour obtenir des verres de sécurité, par exemple, deux feuilles de glace sont assemblées par une feuille de plastique ; autre procédé de renforçage : le verre armé contenant un treillis métallique

Verre de sécurité

Le verre trempé devient plus solide que le verre recuit, mais ne peut être découpé

Débité en plateau, le ruban de verre est ensuite sorti de la ligne à l'aide de releveuses

Verre armé

Technique du verre flotté

Le système de *floatglass* consiste à couler du verre en fusion sur de l'étain fondu ; le verre se présente alors sous la forme d'une feuille transparente et parfaitement plane

Mélange vitrifiable

Four de fusion

Bain d'étain

Brûleurs à mazout ou à gaz

Grâce au système *float* mis au point par les frères Pilkington en Angleterre, la glace, polie au feu, a pu être fabriquée en grande quantité, le laminage et le polissage étant rendus superflus

Le four à bassin où se fait la fusion est situé légèrement au-dessus du bain de métal fondu : le verre fondu s'y déverse par débordement

Afin d'empêcher l'oxydation du bain d'étain, l'atmosphère du four de flottage doit toujours être composée d'un mélange d'hydrogène et d'azote, l'oxygène étant banni

Verre recuit

Si la production du ruban de glace est une opération continue presque totalement automatisée, le passage de ce ruban aux produits verriers finis est encore très artisanal. C'est en particulier le cas de la phase dite d'estimation : en effet, une fois le ruban découpé en très grands panneaux (de l'ordre de 6 m sur 3 m), celui-ci est examiné par des ouvriers qualifiés chargés de détecter les moindres défauts de la glace afin de déterminer, selon la position de ces défauts, le plan de découpage permettant de faire le meilleur usage de chaque panneau. La « transformation » consiste alors à donner aux glaces ainsi obtenues la forme, et éventuellement la courbure, demandées par les clients. Elle aboutit, par exemple, à la production de carreaux de fenêtre, de portes en glace, de pare-brise d'automobiles. La fabrication de bouteilles est plus automatisée (par exemple, une usine de verre peut fabriquer un million de bouteilles par jour).

Dispositif de soufflage pour la trempe

Verres spéciaux

Verre de silice, cristal, céramo-cristal, vitro-cristallin, photosensible, strass, murrhin, givré, craquelé, granulé, opaline, doublé, parasol, millefiori, filigrané, plaqué, aventurine, marbré, coulé, coloré, émaillé, armé, glace Triplex, Securit, fibre de verre, papier de verre

Quel est le verre le plus ancien?

C'est un œil en verre d'une couleur bleutée imitant la turquoise, qui date du règne du pharaon égyptien Aménophis Ier, vers 1550 avant J.-C. Mais c'est à Rome qu'est véritablement née l'industrie verrière vers l'an 20, avec la découverte de la technique du verre soufflé. Dès le IIe siècle, les Romains connaissaient le verre translucide et fabriquaient des vitres, des miroirs de verre sur métal, des loupes (boules de verre remplies d'eau).

Quelles sont les qualités du verre?

Le verre est un matériau pouvant être rendu transparent, isolant du bruit et de la chaleur, inattaquable par la plupart des produits chimiques, ininflammable et incombustible, à la surface très dure, cassant mais très résistant aux forces de pression et de traction.

De quoi est composé le verre?

La matière première essentielle du verre est un matériau très banal : la silice, autrement dit

le sable, dont la fusion à haute température (1 500 °C) conduit directement à du verre. A la silice, il convient cependant d'ajouter d'autres constituants, destinés à donner au verre des propriétés plus favorables du point de vue de sa fabrication ou de son utilisation. Les deux principaux additifs sont la soude, qui accroît la fluidité du verre fondu, et la chaux, qui augmente la dureté et la stabilité du verre. La soude et la chaux représentent en général chacune 10 à 15 % de la composition totale du verre. Une dizaine d'autres additifs (les « constituants secondaires ») sont, ou non, présents en faible quantité pour améliorer encore certaines propriétés du verre ; par exemple l'alumine (accroît l'inaltérabilité), la magnésie (augmente la stabilité), l'oxyde de zinc (améliore la fusibilité), l'anhydride borique (réduit le coefficient de dilatation), le bioxyde de manganèse (décolore le verre).

Qu'est-ce que le cristal?

Selon la tradition, le verre cristallin aurait été inventé à Venise, plus précisément dans l'île de Murano, en 1463, par le maître verrier Beroverio. Mais le véritable cristal, caractérisé par son éclat et sa forte réfringence, a été découvert au XVIIe siècle en Angleterre. Il comprend peu ou pas de chaux, et jusqu'à 30 % d'oxyde de plomb. Il s'agit donc de « verre au plomb ».

Comment se fait la cuisson du verre?

La production du verre fondu s'effectue d'une manière continue dans d'immenses fours-bassins de plusieurs dizaines de mètres de longueur, d'où sortent chaque jour plusieurs centaines de tonnes de verre. La silice et les autres constituants du verre sont introduits à l'entrée du four-bassin rectangulaire, dont les parois latérales sont chauffées par de puissants brûleurs. Le mélange est fondu à environ 1 500 °C, et le verre obtenu s'écoule à la sortie du bassin. La température, le niveau et le débit du bassin doivent être contrôlés avec une précision extrême par un système électronique.

Glace et verre à vitre: une différence?

Glace et verre à vitre sont des « produits plats » de l'industrie verrière, mais de qualité différente. Le verre à vitre, plus mince que la glace (quelques millimètres contre plus de 5 millimètres) et de moindre qualité, est obtenu par une méthode plus simple : un étirage vertical par des rouleaux en rotation.

Comment obtient-on la laine de verre?

Le verre fondu coule dans un cylindre en platine percé de trous de 1 mm de diamètre, et tournant à 3 000 tr/mn (le « panier »). Il est pressé par la force centrifuge contre la paroi du cylindre et sort par les orifices de celui-ci sous forme de fibres de 1 mm de diamètre. Ces fibres parviennent alors sur un autre cylindre en acier réfractaire, l'« assiette », percé cette fois de trous de quelques dixièmes de millimètre d'épaisseur, et tournant lui aussi à grande vitesse. En traversant les trous de ce second cylindre, les fibres sont affinées, avant d'être brutalement refroidies et enrobées de résine synthétique. La « laine de verre » ainsi obtenue est un excellent isolant.

L'industrie papetière: l'arbre et la feuille de papier

Nécessité oblige : l'industrie papetière a besoin de matière première d'origine végétale. Depuis que la technique de fabrication du papier a été inventée (sans doute en l'an 105 après J.-C. par le Chinois Tasai-Lun), il en est ainsi ; la composition de la pâte reposant essentiellement sur l'emploi de fibres cellulosiques et les nombreuses prouesses de la mécanisation (qui ont abouti aux procédés de fabrication d'aujourd'hui) n'ayant rien changé, le bois reste indispensable. Toutefois, il serait erroné de croire que cette industrie lourde est destructive d'espaces verts. En effet, elle se comporte comme un véritable

« cultivateur de forêt ». Pour passer de l'arbre à la feuille de papier, le bois doit subir de nombreuses transformations. Après avoir été débité en rondins, il est concassé, défibré, raffiné jusqu'à ce que les fibres cellulosiques qui le constituent soient individualisées et donnent une pâte très liquide. C'est cette pâte à papier (composée de 98 à 99 % d'eau) qui va servir de matière première à la machine fabriquant des feuilles. Elle va peu à peu être séparée de son eau grâce à une série d'opéra-

tions : égouttage, essorage par aspiration, pressage entre les feutres de laine, séchage sur des cylindres chauffés à la vapeur, calandrage entre une succession de rouleaux. Tout au long de cette chaîne ininterrompue, une feuille souple, lisse et solide se forme. Elle est ensuite embobinée, prête à subir d'autres transformations éventuelles selon l'utilisation pour laquelle elle a été conçue.

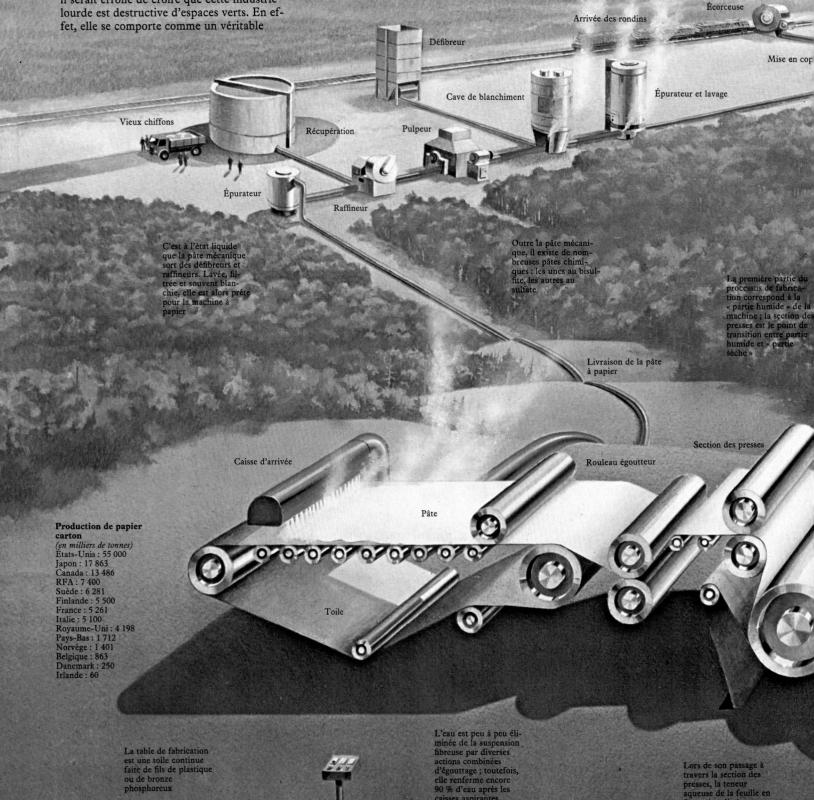

Défibreur

Arrivée des rondins

Écorceuse

Mise en cop

Cave de blanchiment

Épurateur et lavage

Vieux chiffons

Récupération

Pulpeur

Épurateur

Raffineur

C'est à l'état liquide que la pâte mécanique sort des défibreurs et raffineurs. Lavée, filtrée et souvent blanchie, elle est alors prête pour la machine à papier

Outre la pâte mécanique, il existe de nombreuses pâtes chimiques : les unes au bisulfite, les autres au sulfate

La première partie du processus de fabrication correspond à la « partie humide » de la machine ; la section des presses est le point de transition entre parties humide et « partie sèche »

Livraison de la pâte à papier

Section des presses

Caisse d'arrivée

Rouleau égoutteur

Pâte

Production de papier carton
(en milliers de tonnes)
États-Unis : 55 000
Japon : 17 863
Canada : 13 486
RFA : 7 400
Suède : 6 281
Finlande : 5 500
France : 5 261
Italie : 5 100
Royaume-Uni : 4 198
Pays-Bas : 1 712
Norvège : 1 401
Belgique : 863
Danemark : 250
Irlande : 60

Toile

La table de fabrication est une toile continue faite de fils de plastique ou de bronze phosphoreux

Pupitre de commande annexe

L'eau est peu à peu éliminée de la suspension fibreuse par diverses actions combinées d'égouttage ; toutefois, elle renferme encore 90 % d'eau après les caisses aspirantes

Lors de son passage à travers la section des presses, la teneur aqueuse de la feuille en formation diminue jusqu'à 60 % ; de plus, la structure interne se fait plus dense

Le bois, matériau de base pour produits variés

Le bois est un matériau traditionnel employé depuis fort longtemps par l'homme à des fins très diverses comme les allumettes, les instruments de musique, les jouets, la construction navale, les maisons en bois. Cette matière provient essentiellement d'un être vivant, l'arbre. De ce fait, elle présente les avantages d'être renouvelable, biodégradable et disponible sur presque toute la terre, ce qui lui a permis de résister à la concurrence de l'acier, du béton armé, de l'aluminium et des matières synthétiques. Les produits obtenus à partir du bois dérivent de plusieurs types de transformation qui conservent ou détruisent son organisation primitive. Ainsi, en utilisant au mieux l'ensemble des qualités de ce matériau, on fabrique des meubles, des composants de la construction (menuiseries, ossatures, emballages, poteaux). Si l'on défait l'organisation du bois pour obtenir l'élément de base, la fibre, on réalise du papier, du carton, des panneaux de fibres. Enfin, en utilisant les molécules du bois, on produit de l'énergie ou des produits chimiques. L'industrie du bois comprend principalement les exploitations forestières qui récoltent les arbres, les entreprises de première transformation qui transforment l'arbre en sciages, placages, panneaux de contre-plaqué, de particules ou de fibres et pâte à papier, enfin les entreprises de deuxième transformation qui fabriquent des biens de consommation dont la gamme est très variée.

Les entreprises du bois

L'exploitation forestière est souvent réalisée par de petites entreprises quand elle n'est pas intégrée à la scierie. Son activité consiste à créer des chemins d'exploitation s'il y a lieu, à abattre les arbres puis à les façonner, c'est-à-dire les ébrancher, les casser et éventuellement les écorcer : on obtient alors une grume. Il faut ensuite tirer les grumes avec un tracteur forestier ou les enlever par téléphérique ou par hélicoptère jusqu'à une route accessible aux camions grumiers qui les transporteront : c'est le débardage. Les grumes de faible diamètre ou bois d'industrie sont destinées à la fabrication de poteaux de bois de mine ou à la trituration, pour fabriquer des panneaux de particules de fibres ou de la pâte à papier. Après un déchiquetage en copeaux, les grumes de fort diamètre ou bois d'œuvre sont transformées, suivant leurs qualités et l'essence du bois, en sciages ou en placages.

Le travail du bois

La fabrication de produits en bois est généralement réalisée dans de petites ou moyennes entreprises avec des machines simples et une intervention humaine importante, souvent nécessaire pour apprécier une matière première aux caractéristiques variables. Les opérations qui y sont effectuées sont nombreuses et respectent une chronologie impérative. On procède d'abord au séchage du bois ; viennent ensuite le débit et l'usinage des pièces, suivis de leur assemblage, du calibrage et du traitement de l'ensemble, puis travaux de finition. Directement lié à ces opérations, l'atelier d'affûtage conditionne le rendement matière et la qualité des finitions avec des outils précis.

Les panneaux de particules sont constitués de particules spécialement élaborées puis encollées au moyen de résines synthétiques thermodurcissables qui sont polymérisées lors du pressage à haute température. Leur fabrication nécessite un matériel onéreux de grande capacité et très productif afin de compenser la faible valeur ajoutée des produits par une production importante. A partir de rondins et de chutes de première transformation (lors du sciage et du déroulage) déchiquetés, on obtient des particules de bois qui sont séchées puis encollées. L'encollage s'effectue dans des encolleuses à malaxage par pulvérisation de colle au moyen de rampes de pistolets. Le mélange de copeaux et d'agents liants est alors épandu sur un tapis ; cette opération, appelée « conformation du mat », est très délicate. Le mat est ensuite acheminé vers la presse dont les plateaux chauffants font prendre la colle thermodurcissable. Les panneaux ainsi obtenus sont empilés chauds pendant quelques jours pour qu'ils se stabilisent. Ils sont alors délignés avec une scie circulaire pour obtenir des bords plus nets, puis calibrés à l'épaisseur voulue, enfin poncés sur les deux faces et contrôlés. On fabrique également des panneaux de particules de lin à partir de la tige de la plante. Ils présentent pratiquement les mêmes caractéristiques.

Lamellé collé

Cette technique permet de fabriquer des poutres de fortes sections et de très grandes portées (jusqu'à 100 m). Utilisé pour réaliser les charpentes de bâtiments industriels et publics de grande taille, le lamellé collé a redonné au bois une place de choix dans l'architecture moderne

Des planches de bois brut (sapin) sont assemblées bout à bout, de façon à obtenir des lamelles de grande taille. Celles-ci passent dans une raboteuse qui les calibre

Bois massif

Panneau de particules

Contre-plaqué latté

Contre-plaqué multiplis

Les principaux matériaux à base de bois sont (en dehors du papier) le contre-plaqué, les panneaux de particules et de fibres

Les « résineux » (épicéa, sapin, pin) fournissent les meilleures qualités pour une pâte « tendre »

Placées à proximité des forêts, les scieries débitent les arbres et débarrassent les troncs de leur écorce

Scierie

Le bois constitue la matière première de 90 % des papiers fabriqués

En fin de sécherie, le papier n'a plus qu'une humidité résiduelle de 4 à 6 %. La presse à enduction est suivie d'une post-sécherie pour terminer le séchage du papier qui a été remouillé

De l'usine, le produit fini est distribué aux clients imprimeurs

Plusieurs rouleaux constituent l'ensemble vertical de la lisse. La feuille y est pressée (pression 120-150 kg/cm) afin d'avoir une surface parfaitement lisse

Lisse

Feuilles après découpe

Bobines mères

Enrouleur

Vitesse de production
(en mètres-minute)
Ouate de cellulose :
1 500 à 2 000
Journal :
1 000 à 1 200
Impression-écriture :
800 à 900
Papier cigarette :
200 à 300
Papier condensateur :
50 à 100
Pâte à papier :
80 à 150

Sur l'enrouleur, le changement de bobine ne nécessite pas l'arrêt de la machine car il s'effectue automatiquement

ARJOMARI

A partir des bobines mères tronçonnées, on obtient des bobines filles vendues telles quelles ou découpées en formats

C'est dans l'usine à pâte que se fabrique ce produit intermédiaire de l'industrie papetière : la pâte mécanique

Le transport du bois, à l'état de troncs, s'effectue par la route ou par les cours d'eau grâce à des systèmes de flottaison remorquée

Lessiveur

Au-dessus du bloc sécherie, une hotte amène l'air frais et aspire les buées saturées

Lorsqu'ils sont destinés à l'impression-écriture, les papiers passent par une presse à enduction où ils sont collés en surface

Sécherie

Post-sécherie

Feutre

Presse à enduction

ille de papier

Cylindre en fonte alimenté à la vapeur

Selon la qualité du papier désirée, la machine est réglée pour aller plus ou moins vite

Pupitre de commande centrale

Le lamellé collé offre une bonne résistance au feu et aux agents chimiques

Pour obtenir une ligne parfaite, la poutre est retaillée, rabotée suivant épure. Pour finir, elle subit un triple traitement : insecticide, fongicide et hydrofuge

Raboteuse

Les poutres en lamellé collé sont fabriquées deux par deux

Forme

La mise en pression dure de 12 à 24 heures suivant la forme de la poutre. Elle s'effectue dans des conditions constantes d'hygrométrie (75 %) et de température (20 °C)

Après le press... la forme est de... serrée : les lam... en adhérant parfaitement l... unes aux autre... constituent un... poutre d'un se... tenant

A l'aide d'une encolleuse à rouleaux, les lamelles sont encollées, puis empilées les unes sur les autres

La pression exercée sur les lamelles varie de 4 à 7 kg/cm²

L'ensemble des lamelles qui constituent la future poutre est placé sur une forme réalisée d'après l'épure de la pièce désirée

Combien d'essences existe-t-il?

Il existe au moins 3 000 essences de bois. Parmi elles, celles qui produisent des bois « commerciaux » se classent en deux catégories : les gymnospermes, improprement appelées résineux, dont les représentants les plus communs sont des conifères comme le sapin, l'épicéa, les pins. Ils sont caractérisés par des feuilles en forme d'aiguilles, des fruits en forme de cônes et des fibres longues utilisées pour la fabrication de la pâte à papier ; d'autre part les angiospermes, appelées feuillus, sont des essences à feuilles larges, nervurées, souvent caduques. Suivant leur densité et leur dureté, on distingue les bois durs (la presque totalité des angiospermes) et les bois tendres (les gymnospermes et quelques angiospermes légers).

Comment les reconnaître?

Pour une essence donnée, le bois est toujours constitué de cellules de même nature, groupées de la même façon, ce que l'on exprime en disant que le plan ligneux est constant. Ce plan d'organisation, qui règle la structure de chaque essence et lui donne sa physionomie anatomique spéciale, permet de le reconnaître. Pratique-ment, on identifie une essence en observant au microscope trois lamelles de bois découpées au rasoir suivant trois plans de référence : le plan transversal, radial et tangentiel.

Qu'est-ce que le cintrage?

Le cintrage du bois est un procédé ancien, déjà utilisé pour la construction des premiers navires. Il consiste à provoquer par exposition à la chaleur ou par étuvage le ramollissement des matières pectiques formant la liaison des fibres du bois. Celui-ci devenant assez plastique pour prendre une certaine courbure est alors fixé sur un moule à la forme désirée. Par séchage, il se stabilise. Dans cette position, les matières momentanément ramollies se durcissent et les fibres se fixent dans leur nouvelle position.

Peut-on supprimer le jeu du bois?

Le bois n'est pas une matière inerte : il reste toujours sensible aux variations hygrométri-ques. Ainsi, le bois mort fraîchement abattu peut contenir cent pour cent d'eau ; celui dont est fait un meuble placé dans un appartement chauffé peut ne contenir que sept pour cent d'eau ; or le bois rétrécit lorsque son humidité diminue et gonfle lorsqu'elle augmente : c'est le jeu que l'on constate lorsque la température et l'état hygrométrique du milieu où se trouve le bois changent. (On estime le retrait transversal à 0,2 % par variation de 1 % d'humidité.) Un ouvrage bien conçu est donc construit pour que le jeu du bois n'entraîne ni déformations, ni fentes, ni ruptures : c'est pourquoi il est nécessaire de sécher le bois à l'air libre ou dans un séchoir artificiel avant de le travailler.

Qu'est-ce que le bois en feuille?

C'est le placage, autrefois obtenu par sciage. Cette opération, toutefois, ne permettait pas d'obtenir de faibles épaisseurs et faisait perdre beaucoup de bois sous forme de sciure. Actuellement, le placage est obtenu par tranchage ou bien par déroulage qui se font sans perte en copeaux. Le tranchage consiste à émincer une pièce de bois, par passage répété d'un couteau tranchant à ras de la surface du bois. Ce procédé qui fait ressortir les ramages du bois est réservé aux bois d'ébénisterie. Le démoulage s'effectue au moyen d'un couteau appliqué tangentiellement contre un billon en rotation qui est en quelque sorte « pelé » : on obtient ainsi une feuille de placage ininterrompue qui est ensuite massicotée, séchée et empilée. Ce procédé est employé pour la fabrication du contre-plaqué et pour l'emballage. On déroule des essences exotiques telles que l'okoumé, l'acajou et des bois indigènes tels que le peuplier ou le hêtre.

Qu'est-ce que le contre-plaqué?

Il est constitué d'une superposition de feuilles de bois (d'une épaisseur de 1 à 3 mm) que l'on colle ensemble. Chacune des feuilles est disposée dans un sens de fibre perpendiculaire à celui de la feuille précédente. Le nombre des feuilles de bois appelées plis est toujours impair, les plis étant disposés de part et d'autre d'un pli central que l'on nomme l'âme du panneau. En dehors de ce contre-plaqué multiplis, on fabrique également du contre-plaqué latté dans lequel le pli central est remplacé par des lattes de bois.

Qu'appelle-t-on grumes?

Les grumes (appelées aussi bois d'œuvre) sont des troncs ébranchés et écimés de fort diamètre, c'est-à-dire supérieur à 10, 20 ou 25 cm selon les cas. Elles sont transportées par camions grumiers jusqu'au lieu d'utilisation.

Qu'appelle-t-on panneaux de fibres?

Les panneaux de fibres sont fabriqués à partir de bois traité à la vapeur à température et pression élevées, puis broyé mécaniquement dans un défibreur, jusqu'à séparation complète des différents éléments, constituant le bois pour obtenir une pâte épaisse. Un autre procédé, par le vide, permet également le défibrage. La pâte obtenue est pressée plus ou moins fortement pour donner des panneaux de fibres mous dits isolants ou des panneaux de fibres durs employés pour l'agencement et l'ameublement.

ncipaux producteurs de bois
millions de m³ de bois rond)
A : 9 (feuillus) 23 (résineux)
sil : 140   24
ada : 12   125
ne : 102   86
lande : 10   30
nce : 17   15
onésie : 133
on : 17   22
ogne : 4   18
lippines : 32
manie : 15   7
de : 7   51
quie : 7   12
SS : 64   324
A : 88   247
O)

Contre-plaqué moulé
Fabriqué à partir de feuilles de placage soumises à une pression de 5 à 6 bars et une température de 90 °C (pendant une minute par mm d'épaisseur), le contre-plaqué est surtout utilisé dans l'ameublement (sièges, bibliothèques)

Avec un massicot électronique, les feuilles de placage sont coupées ; on obtient ainsi des « plis » qui sont ensuite encollés

ıle en forme

Plis

Les plis sont mis sous presse hydraulique chauffante équipée d'un moule

La fabrication des allumettes nécessite une série d'opérations : des grumes de peuplier, découpées en billots, sont déroulées ; les feuilles de placage épaisses d'environ 2 mm ainsi obtenues sont empilées puis hachées pour obtenir les tiges d'allumettes que l'on trempe dans une solution ignifuge. Cette opération évitera à l'allumette de brûler sous forme de charbon incandescent, une fois la flamme soufflée. Ensuite, ces tiges, séchées puis transportées pneumatiquement, sont implantées dans des plaquettes métalliques percées de trous. Elles sont alors trempées dans de la paraffine liquide puis dans un bain de pâte, dont le principal constituant est le chlorate de potassium, qui, en séchant, constitue la tête (ou bouton) de l'allumette.

Sous l'effet de la température et de la pression, les plis sont soudés et prennent la forme du moule

Textiles et cuir: tous azimuts

L'industrie textile comprend la production des fibres, leur transformation en fils et enfin l'élaboration des tissus. On distingue les textiles « naturels », « artificiels » et « synthétiques ». Les matières premières des textiles naturels proviennent du règne minéral (sous forme de fibres, la laine, le cachemire, l'angora, l'alpaga, la vigogne, etc., et sous forme de filaments, la soie), ou du règne végétal (en fibres : sisal, raphia). Le règne minéral apporte également sa contribution avec l'amiante et les métaux (or, argent et aluminium pour fils et lamés). Les textiles artificiels sont produits avec des fibres réalisées à partir de la viscose (extraite du bois). Quant aux textiles synthétiques, ils sont fabriqués à partir du charbon et du pétrole.

Des usines à la campagne

Dès l'Antiquité, c'est le commerce qui a commandé l'évolution de l'industrie du textile. Rome reçoit d'Égypte du lin, des teintures, des tissus, d'Afrique des cuirs et des peaux. Byzance se spécialise dans les brocarts tissés d'or. Dans les grandes foires du Moyen Age arrivent les draps de Flandre, les tissus d'Italie. A travers les déserts de l'Asie cheminent les caravanes de la soie. La grande industrie du textile ne date que du XVIIIe siècle. Elle est liée au développement du commerce maritime et des inventions scientifiques. Un pays, l'Angleterre, va jouer un rôle primordial. Cette nouvelle industrie est d'abord fondée sur la laine. Elle s'étend à tout le Royaume-Uni, où l'on ne dénombre pas moins de quatorze intermédiaires entre l'éleveur de moutons et le tisserand (sans compter les fabricants de rouets et de métiers). « La laine est le pilier de l'État », écrit William Camden en 1607. En 1665, il est illégal de procéder à une inhumation sans un linceul de laine, l'Angleterre interdit l'importation des cotonnades, des soieries indiennes et du lin irlandais. Mais ce protectionnisme ne résistera pas aux réalités économiques. Un siècle plus tard, le coton s'impose.

L'invasion du coton

Les premières balles de coton en provenance des colonies américaines arrivent à Liverpool ; les « indiennes » en coton sont fabriquées dans le Royaume-Uni et exportées massivement. Malgré une certaine concentration dans le Yorkshire, la production de cotonnades est largement éparpillée à travers toutes les campagnes. Comme jadis pour la laine, ce sont les marchands de tissu qui achètent le coton en grosses quantités et le distribuent à une foule de sous-traitants. Le paysan devient ouvrier à mi-temps. De petites manufactures familiales se montent ; on entasse les métiers dans les granges. Les métiers se perfectionnent (navette volante, Kay, 1733) ; ils sont mus par des moulins à eau (Carwright, 1775). Ces développements ne vont pas sans crises. Il y a des émeutes contre les « machines ».

La vapeur arrive

Avec l'avènement, au début du XVIIIe siècle, de la machine à vapeur arrive l'ère des grandes usines, aux centaines de métiers à tisser de plus en plus automatisés. La production de toute une province va se concentrer dans quelques immenses manufactures. C'est l'époque (1850) où l'Angleterre devient la première puissance économique mondiale.

A la recherche de nouvelles matières

La production de textiles naturels est tributaire des zones climatiques tropicales ou subtropicales. Comment faire face dans ces conditions à l'explosion démographique du XIXe siècle, qui a fait considérablement progresser la demande en fibres textiles ? La science peut apporter une réponse : vers 1880-1885, Sevan et Chardonnet réalisent à partir de la viscose des fils de soie artificielle. La production de textiles artificiels connaît d'abord une croissance lente, mais elle se développe entre les deux guerres. Au même moment, de nouvelles matières « synthétiques », réalisées à partir du carbone, naissent dans les laboratoires. Elles vont envahir le marché à partir des années 60.

Les textiles artificiels sont obtenus à partir d'un produit naturel : la cellulose. Les textiles synthétiques, quant à eux, sont fabriqués à partir de composés chimiques provenant du charbon ou du pétrole. Leur principe de fabrication est commun : c'est par fusion ou solution que les fils sont obtenus après passage par une filière. La photographie nous montre une matière filable passant à travers une filière, plaque en acier inoxydable ou en métal précieux comportant des trous calibrés. La matière en sort en fil continu solidifié par divers procédés (refroidissement, par exemple). La révolution des textiles chimiques a entraîné la démocratisation de l'habillement.

Machine à tisser sans navette

La filature est l'ensemble des opérations industrielles qui permettent de transformer les matières textiles en fils véritables pour le tissage. Il existe deux types de filature selon que les fibres sont courtes (coton) ou longues (laine). Le processus de la filature comprend l'ouvraison et le battage grâce auxquels les fibres sont ouvertes et aérées ; elles sont alors cardées, c'est-à-dire passées entre des cylindres-peignes qui les rangent parallèlement afin d'obtenir un ruban de carde. Viennent ensuite les opérations d'étirage, de passage sur banc à broches, de fibrage, de bobinage et de rebordage. Le tissu, ou « écru », conçu sur le métier est rarement utilisé alors sans subir d'autres traitements. Selon son usage, il peut être prétraité (nettoyé), teinté par colorant chimique ou imprimé. On peut l'apprêter pour le rendre irrétrécissable, imperméable ou pour l'empeser.

L'opération de retordage consiste à tordre ensemble deux fils afin d'obtenir un fil plus résistant

Sur l'ourdissoir, les fils passent à travers un peigne

Métier à tisser
A la sortie de la carde, la nappe de fibres devient un ruban ; déposé alors dans un entonnoir, il est prêt à passer au banc à broches

Ruban d'étirage

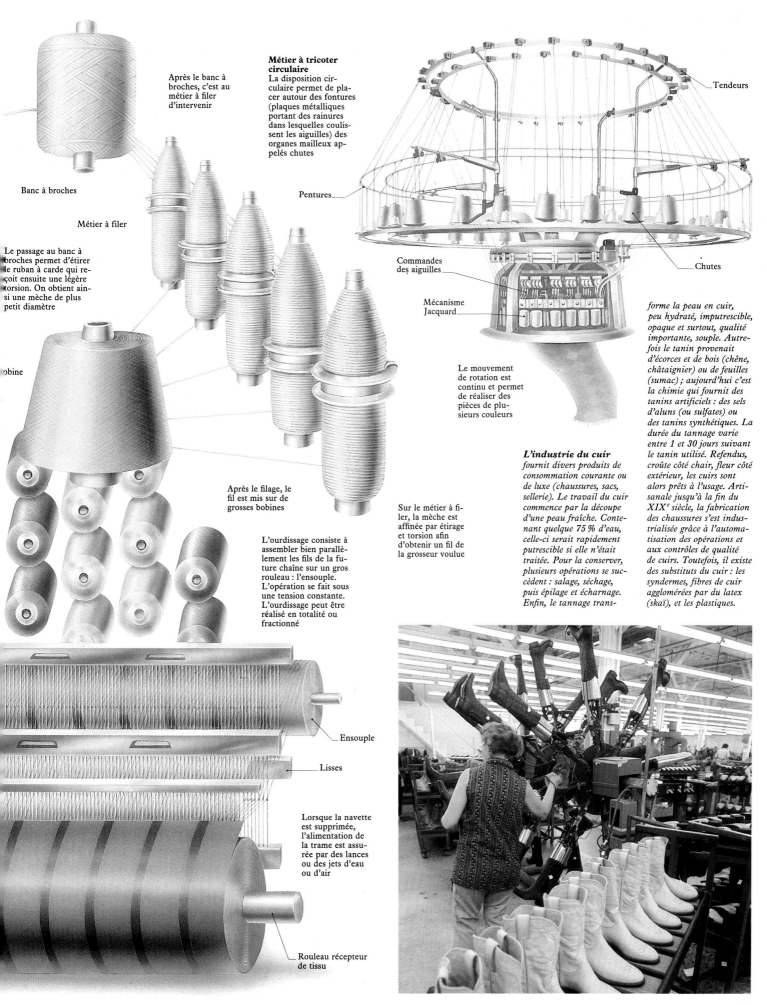

Après le banc à broches, c'est au métier à filer d'intervenir

Métier à tricoter circulaire
La disposition circulaire permet de placer autour des fontures (plaques métalliques portant des rainures dans lesquelles coulissent les aiguilles) des organes mailleux appelés chutes

Banc à broches

Métier à filer

Tendeurs

Pentures

Le passage au banc à broches permet d'étirer le ruban à carde qui reçoit ensuite une légère torsion. On obtient ainsi une mèche de plus petit diamètre

Commandes des aiguilles

Chutes

obine

Mécanisme Jacquard

Le mouvement de rotation est continu et permet de réaliser des pièces de plusieurs couleurs

forme la peau en cuir, peu hydraté, imputrescible, opaque et surtout, qualité importante, souple. Autrefois le tanin provenait d'écorces et de bois (chêne, châtaignier) ou de feuilles (sumac) ; aujourd'hui c'est la chimie qui fournit des tanins artificiels : des sels d'aluns (ou sulfates) ou des tanins synthétiques. La durée du tannage varie entre 1 et 30 jours suivant le tanin utilisé. Refendus, croûte côté chair, fleur côté extérieur, les cuirs sont alors prêts à l'usage. Artisanale jusqu'à la fin du XIXe siècle, la fabrication des chaussures s'est industrialisée grâce à l'automatisation des opérations et aux contrôles de qualité de cuirs. Toutefois, il existe des substituts du cuir : les syndermes, fibres de cuir agglomérées par du latex (skaï), et les plastiques.

Après le filage, le fil est mis sur de grosses bobines

Sur le métier à filer, la mèche est affinée par étirage et torsion afin d'obtenir un fil de la grosseur voulue

L'industrie du cuir
fournit divers produits de consommation courante ou de luxe (chaussures, sacs, sellerie). Le travail du cuir commence par la découpe d'une peau fraîche. Contenant quelque 75 % d'eau, celle-ci serait rapidement putrescible si elle n'était traitée. Pour la conserver, plusieurs opérations se succèdent : salage, séchage, puis épilage et écharnage. Enfin, le tannage trans-

L'ourdissage consiste à assembler bien parallèlement les fils de la future chaîne sur un gros rouleau : l'ensouple. L'opération se fait sous une tension constante. L'ourdissage peut être réalisé en totalité ou fractionné

Ensouple

Lisses

Lorsque la navette est supprimée, l'alimentation de la trame est assurée par des lances ou des jets d'eau ou d'air

Rouleau récepteur de tissu

L'industrie du pétrole: une grande gamme de produits

Matière première de choix, le pétrole, une fois raffiné, donne de nombreux dérivés, substances de base d'industries spécialisées dont la pétrochimie, ou encore pétroléochimie. Branche de l'industrie chimique, elle désigne plus particulièrement la chimie des dérivés du pétrole brut et du gaz naturel, ceux-ci étant constitués d'hydrocarbures servant de matières premières. La pétrochimie englobe deux secteurs : le premier est constitué par le traitement de coupes pétrolières. Différentes opérations (vapocraquage, reformage à la vapeur ou reformage catalytique) sont mises en œuvre pour obtenir les intermédiaires de « première génération », appelés encore « grands intermédiaires » ou bases pétrochimiques. Ils comprennent des hydrocarbures oléfiniques (éthylène, propylène, butène), des hydrocarbures aromatiques (benzène, toluène, xylène), l'hydrogène, ainsi que des produits de base obtenus à partir de ces matières : ammoniac, styrène, méthanol. Le deuxième secteur, complémentaire du premier, transforme ces bases pétrochimiques en intermédiaires de « seconde génération » (acrylonitrile, formol, oxyde d'éthylène) à partir desquels sont élaborés les matières plastiques, les fibres et les caoutchoucs synthétiques, les détergents, les engrais, les solvants.

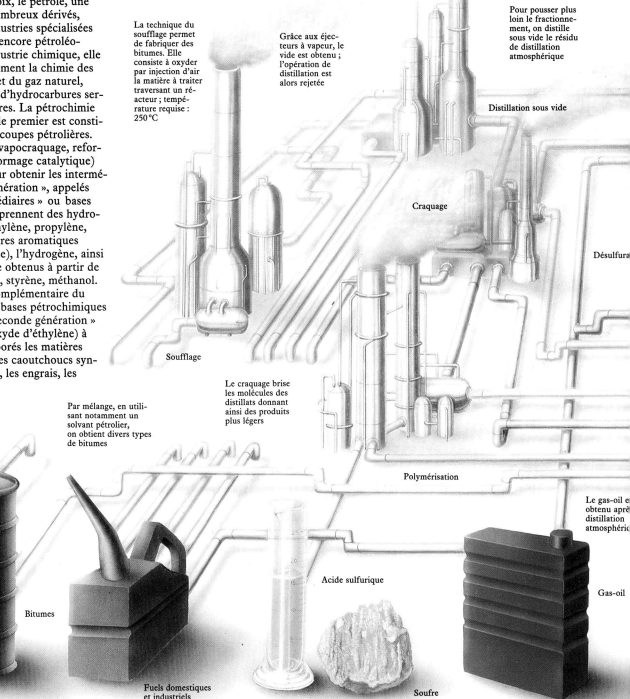

La technique du soufflage permet de fabriquer des bitumes. Elle consiste à oxyder par injection d'air la matière à traiter traversant un réacteur ; température requise : 250°C

Grâce aux éjecteurs à vapeur, le vide est obtenu ; l'opération de distillation est alors rejetée

Pour pousser plus loin le fractionnement, on distille sous vide le résidu de distillation atmosphérique

Distillation sous vide

Craquage

Désulfura

Soufflage

Le craquage brise les molécules des distillats donnant ainsi des produits plus légers

Grâce au soufflage, les bitumes obtenus sont durs et peu fusibles

Par mélange, en utilisant notamment un solvant pétrolier, on obtient divers types de bitumes

Polymérisation

Le gas-oil e obtenu après distillation atmosphéri

Bitumes

Fuels domestiques et industriels

Acide sulfurique

Soufre

Gas-oil

QUID?

Qu'est-ce qu'une coupe pétrolière ?

Lors du raffinage, les hydrocarbures constituant le pétrole brut sont séparés, principalement par distillation fractionnée, en constituants appelés « coupes pétrolières ». Le pétrole brut, chauffé à 350°, pénètre dans la colonne principale de distillation. Les vapeurs de tête constituent l'essence totale, qui, après redistillation, fournit tout d'abord des gaz liquéfiés : le propane (coupe en C 3, car les molécules correspondantes comprennent 3 atomes de carbone) et le carbone (coupe en C 4). La coupe suivante correspond au gazoline qui se distille entre 40 et 100 °C, puis vient la coupe de naphta ou essence lourde (85-165°C). Dans la colonne principale, on récupère trois

coupes : le kérosène (160-240°C), le gas-oil léger (160-240°C) et enfin le gas-oil lourd. Le résidu long, situé au fond de la colonne, donne, par distillation sous vide, le gas-oil lourd, les distillats paraffineux et le bitume.

Comment est née la pétrochimie ?

Le développement de l'industrie pétrochimique, née en 1920 en Amérique, est lié d'une part à l'expansion de l'industrie pétrolière qui lui fournit ses matières premières et d'autre part à l'accroissement de la consommation des produits. En 1979, la production des grands intermédiaires chimiques repose presque exclusivement sur le pétrole et le gaz naturel. Elle n'absorbe que 5 % des produits pétroliers (230

millions de tonnes) qui sont utilisés pour fabriquer des matières plastiques, des fibres synthétiques et du caoutchouc.

Quels sont les dérivés de l'éthylène ?

Par sa capacité de production (2,7 Mt/an), la France se place au second rang en Europe, après l'Allemagne fédérale (5 Mt/an). Le polyéthylène, le styrène et le chlorure de vinyle sont avec l'oxyde d'éthylène les principaux dérivés de l'éthylène. Le polyéthylène sert à la fabrication de films, de fils, d'emballages et d'isolants électriques. Le styrène est à la base de la fabrication de matériaux d'isolation, de caoutchouc pour pneumatiques et de matières plastiques. L'oxyde d'éthylène mène aux fibres polyesters.

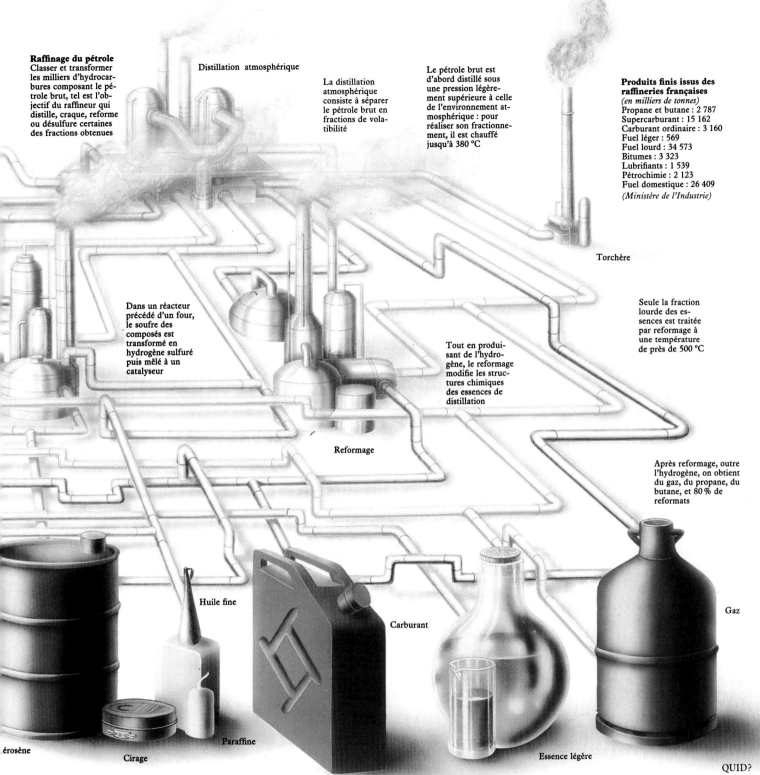

Raffinage du pétrole
Classer et transformer les milliers d'hydrocarbures composant le pétrole brut, tel est l'objectif du raffineur qui distille, craque, reforme ou désulfure certaines des fractions obtenues

Distillation atmosphérique

La distillation atmosphérique consiste à séparer le pétrole brut en fractions de volatilité

Le pétrole brut est d'abord distillé sous une pression légèrement supérieure à celle de l'environnement atmosphérique : pour réaliser son fractionnement, il est chauffé jusqu'à 380 ºC

Produits finis issus des raffineries françaises
(en milliers de tonnes)
Propane et butane : 2 787
Supercarburant : 15 162
Carburant ordinaire : 3 160
Fuel léger : 569
Fuel lourd : 34 573
Bitumes : 3 323
Lubrifiants : 1 539
Pétrochimie : 2 123
Fuel domestique : 26 409
(Ministère de l'Industrie)

Torchère

Dans un réacteur précédé d'un four, le soufre des composés est transformé en hydrogène sulfuré puis mêlé à un catalyseur

Seule la fraction lourde des essences est traitée par reformage à une température de près de 500 ºC

Tout en produisant de l'hydrogène, le reformage modifie les structures chimiques des essences de distillation

Reformage

Après reformage, outre l'hydrogène, on obtient du gaz, du propane, du butane, et 80 % de reformats

Huile fine

Carburant

Gaz

érosène

Cirage

Paraffine

Essence légère

Enfin le chlorure de vinyle et ses polymères conduisent aux plastiques.

En quoi consiste le vapocraquage?

La conversion des hydrocarbures de base (naphta, gas-oil) en intermédiaires chimiques plus réactifs (oléfines, aromatiques) se fait principalement par vapocraquage. Soumise à une température de 800-850º et en présence de vapeur d'eau, la matière première est transformée en un mélange complexe de produits. La séparation des principaux constituants s'effectue à basse température (– 17 à – 100º). L'ensemble de l'opération permet d'obtenir de l'éthylène (25 à 30 %), du propylène (14 à 18 %), du benzène (7 %), du butadiène et du toluène.

A quoi sert le benzène?

De tous les composés aromatiques, le benzène est le plus employé. Son principal dérivé, le phénol, intervient dans la fabrication des plastiques, des fibres textiles, des détergents et des produits pharmaceutiques.

Source d'énergie ou matière première?

Matière première d'une industrie chimique très importante, les hydrocarbures sont pour leur plus grande partie (57 %) brûlés pour produire de l'énergie sous forme d'essence, de fuel, de gas-oil. En revanche, la pétrochimie valorise ces hydrocarbures en les transformant en nouveaux produits. Si, partant de 70 kg de naphta, on peut fabriquer 100 litres d'essence,

il est tout aussi possible de produire en quantité suffisante de l'éthylène ou du propylène pour réaliser 21 chemises en polyester, 500 collants, 6 boîtes à ordures, 4 casiers pour bouteilles de bière et 13 pneus de bicyclette.

Comment naît un complexe pétrochimique?

Compte tenu des caractéristiques techniques (multitude des opérations de transformation) et économiques (coût des installations et du transport des produits), on assiste à un regroupement de plusieurs entreprises autour de l'utilisation d'une même matière première (l'éthylène), ou autour de la valorisation de produits de même type (les plastiques). C'est alors tout un complexe pétrochimique qui est créé.

L'invasion industrielle des plastiques

Si l'on voulait baptiser notre époque d'après le matériau qui la caractérise, ce serait « l'âge des plastiques ». Ils occupent en effet une place de premier plan dans notre vie : du saladier au tableau de bord de notre automobile, les matières plastiques font partie de notre quotidienneté. Toutefois, pendant des milliers d'années, les seules matières plastiques fournies à l'homme furent des substances naturelles comme la glaise, qui se façonne à volonté lorsqu'elle est imprégnée d'eau, l'écaille ou la corne, qui deviennent malléables lorsqu'on les chauffe. Il faut attendre la fin du XIXᵉ siècle pour qu'apparaisse, dans des circonstances curieuses, le premier plastique de synthèse : le celluloïd.

La révolution des plastiques

Dans l'espoir de gagner la prime de 10 000 dollars qu'offrait une firme américaine à quiconque trouverait une matière apte à remplacer l'ivoire (trop coûteux) dans la fabrication des boules de billard, John Wesley Hyatt découvrit le celluloïd en confectionnant un mélange de nitrocellulose et de camphre. Pendant plus de 30 ans, cette matière plastique de synthèse fut la seule de son espèce jusqu'à la découverte en 1907, par Leo Hendrik Baekeland, de la bakélite obtenue par action du formol sur du phénol. Dès lors commence le développement prodigieux des plastiques. Grâce à la diversité de leurs propriétés, et à leur coût inférieur à celui des produits naturels (bois, verres, fibres, textiles naturels, métaux) qu'ils remplacent, ils envahissent le marché. Leur production mondiale monte en flèche : de 1,8 millions de tonnes en 1950, elle dépasse 55 millions en 1978 et devrait être de l'ordre de 120 millions de tonnes en 1990. Les principaux pays producteurs sont les États-Unis, l'Allemagne fédérale et le Japon. La France arrive en cinquième position avec 2,9 millions de tonnes, derrière l'URSS. De cette production d'ensemble se détachent, dans l'ordre, les polyéthylènes, les chlorures de polyvinyle, les polystyrènes et les aminoplastes. L'industrie chimique est actuellement l'une des principales branches de l'industrie moderne. En transformant des matières premières naturelles (charbon, soufre, pétrole, phosphates, chlore) en d'autres substances, elle élabore aujourd'hui plus de 10 000 substances.

Les branches de la chimie

Dans le vaste secteur couvert par la chimie, on distingue la chimie minérale et la chimie organique. La première traite les matières minérales à l'état solide ou gazeux : les pyrites, qui fournissent fer, soufre et cuivre ; l'air, qui donne l'oxygène, l'azote et l'argon ; le sel, dont on extrait le chlore et la soude ; les minerais de phosphates, titane, fluor ; le calcaire et le sable. La seconde est par excellence la chimie du carbone. Elle traite des matériaux organiques : charbon, pétrole, gaz naturel, corps gras, bois et coton. De toutes ces matières premières, les industries chimiques de base extraient des substances telles que la soude ou l'ammoniac. Quant aux industries chimiques de transformation, elles élaborent, à partir de ces substances, des semi-produits chimiques (chlorure d'éthylène ou chlorure de vinyle) ou des produits finis (médicaments, peintures, cosmétiques).

Moulage par injection
Procédé utilisé pour mettre en forme les matières thermoplastiques. Il nécessite une presse d'injection et un moule

Modelable ou moulable, telles sont les deux propriétés qui ont valu à certaines matières de porter le nom de plastiques. Parmi celles-ci on distingue les matières thermoplastiques (polyéthylène) qui peuvent changer indéfiniment de forme sous l'action combinée de la chaleur et de la pression, et les matières thermodurcissables (bakélite) qui durcissent au-dessus d'une température donnée et ne peuvent plus changer de forme. L'industrie fait appel à des techniques variées pour donner la forme souhaitée aux plastiques qui se présentent à l'état de résines à couler, débitées en plaques et en tubes, ou à l'état de poudres ou de granulés à mouler. Dans les fabrications en série, les moulages par injection, suivis des moulages par compression, sont les plus utilisés.

Les trois familles de plastiques

En raison de leur grand nombre, les matières plastiques ont été classées selon leur mode d'obtention, leur structure et leurs propriétés. La première famille correspond aux plastiques dérivés de substances naturelles végétale (cellulose) ou animale (caséine du lait) qui sont déjà des macromolécules. Les plastiques cellulosiques, celluloïd, cellophane, acétate de cellulose, sont les plus importants. Les deux autres familles ont pour produit de départ de petites molécules qu'il faut assembler pour obtenir une macromolécule de synthèse.

Thermoplastiques et thermodurcissables

Les résines synthétiques thermoplastiques résultent de la polymérisation de molécules simples et sont constituées par un enchevêtrement de longues macromolécules linéaires non ramifiées. Elles se ramollissent sous l'action de la chaleur et se durcissent en refroidissant, de façon réversible. Les polyéthylènes, les polypropylènes, les polyvinyles et les polystyrènes sont les principales résines thermoplastiques. Les résines synthétiques thermodurcissables, obtenues par polycondensation suivie de polymérisation d'espèces chimiques, sont constituées par des macromolécules ramifiées. Elles se polymérisent irréversiblement sous l'action de la chaleur ou de la pression, en prenant leur aspect définitif. C'est le cas des résines phénoliques (bakélite), des époxydes (araldite), des aminoplastes (formica), des polyesters ou des polyuréthanes.

Le plastique, ici des granulés de polyéthylène, est introduit dans la trémie de la presse

Dirigés vers l'intérieur du cylindre, les granulés, soumis à la chaleur, se fluidifient pour donner une pâte aussitôt entraînée vers le nez par la vis-piston

Trémie

Vis-piston

Les colliers chauffants enrobent le cylindre

Moulage
Glissant sur les colonnes de la presse, les demi-moules se joignent. La vis, en avançant, injecte dans le moule une quantité dosée de matière

Éjecteur

Un thermoplastique est un corps macromoléculaire malléable sous l'effet de la chaleur

L'utilisation des plastiques est aujourd'hui universelle : maisons, voitures, trains, avions et milliers d'autres objets en sont faits. Outre les techniques utilisées pour mouler les thermoplastiques, une technique s'applique à donner forme aux matières thermodurcissables : le thermoformage. La photographie nous montre la fabrication d'une porte de

réfrigérateur : en haut, le moule en aluminium ; au centre, la pièce formée ; au-dessous, le poussoir permettant de presser la matière jusque vers les endroits difficiles. Parmi les matières thermodurcissables, la bakélite est la plus aisée à réaliser. Il suffit de chauffer à 150°C, dans une capsule de porcelaine, des quantités équivalentes de formol à 35° et de phénol, préalablement fondu. Afin d'accélérer et de régulariser la réaction, on ajoute un catalyseur : un peu d'acide chlorhydrique. On observe alors la précipitation d'un produit rose qui, en refroidissant, durcit : c'est la bakélite.

Les déchets de fabrication des thermoplastiques sont récupérables

L'injection de la matière fluidifiée s'effectue sous une forte pression (de 800 à 1 500 kg/cm²)

Nez de la vis

Canal d'injection

Sitôt empli, le moule est refroidi, ce qui fige la matière. Déverrouillé, le moule est ouvert par le recul du plateau mobile

Contre-moule

Carotte

Seau achevé

Moule

Colonnes de la presse

De quoi sont faits les plastiques ?

Pour les plastiques cellulosiques, on se sert comme produit de départ de la cellulose tirée du coton ou du bois. Les matières premières (monomères ou molécules primaires à souder, solvants) des résines synthétiques sont essentiellement fournies par le pétrole ou le gaz naturel. Dans une moindre mesure, elles sont obtenues à partir du charbon, par pyrogénation de la houille et des goudrons. Font exception les résines vinyliques qui font appel au chlore, obtenu par électrolyse du sel marin, indispensable pour obtenir le chlorure de vinyle.

Pourquoi utilise-t-on des adjuvants ?

Les composés macromoléculaires sont rarement utilisés à l'état pur. On distingue différents types d'adjuvants, tels que charges, plastifiants, antioxydants, antistatiques ou colorants, qui sont destinés soit à modifier certaines de leurs propriétés physiques ou chimiques, soit encore à améliorer leurs propriétés mécaniques. Ces adjuvants permettent de préparer à volonté des produits souples ou rigides, durs ou tendres, colorés ou non.

Qu'est-ce qu'un plastique renforcé ?

L'association des plastiques avec des matériaux classiques comme le verre, l'acier, le carbone, le bois ou le tissu conduit à la création de nouveaux produits : les plastiques renforcés et les matières imprégnées. Les plastiques renforcés sont obtenus en introduisant dans la matière plastique des charges renforçantes qui sont en général sous forme de fibres. Ceci permet d'obtenir des plastiques plus rigides et plus résistants à la rupture, à la température et aux agents chimiques. Ces matériaux composites trouvent des applications nombreuses.

Et les matières imprégnées ?

On peut également utiliser les plastiques comme agent liant avec le verre, le papier, le tissu, ou le bois. Le verre « triplex » ou verre sandwich, réalisé en soudant deux feuilles de verre par une feuille de plastique, a la propriété de ne pas éclater en mille morceaux s'il est brisé. En imbibant de plastique les papiers et les tissus, on obtient des matières imprégnées qui sont imperméables. Ce même procédé peut être appliqué au bois et au liège. Ils deviennent ainsi plus durs, plus résistants aux agents atmosphériques et imputrescibles.

Comment élaborer des polyéthylènes ?

Les polyéthylènes s'obtiennent par polymérisation sous pression de l'éthylène. La polymérisation peut être faite soit sous haute pression (1 200 à 2 000 kg/cm²) et à 200°C selon le procédé mis au point en Angleterre par les Imperial Chemical Industries, soit à basse pression (10 à 40 kg/cm²) et à températures moins élevées (60 à 120°C) grâce à la présence de catalyseurs, selon le procédé allemand Ziegler. La synthèse à haute pression conduit à des polyéthylènes à molécules ramifiées de faible densité (d = 0,9). Les « polyéthylènes basse pression » ou « polyéthylènes haute densité » sont formés par contre par des chaînes linéaires, ce qui conduit à une densité plus élevée (d = 0,95) et à une dureté plus grande.

Pharmacie et cosmétiques: des industries très spécialisées

Par industrie pharmaceutique, on entend l'industrie du médicament, considéré dans la société actuelle comme un bien de consommation comme les autres. Son activité se caractérise essentiellement par la préparation et la vente aux hôpitaux, aux pharmacies et aux médecins de médicaments spécialisés qui sont destinés à la médecine humaine et vétérinaire. Fabriquées industriellement, ces spécialités portent un nom déposé et sont présentées sous un conditionnement particulier. C'est une industrie à fort potentiel scientifique et technologique où le secteur de la recherche est très développé.

Du charlatanisme à la pharmaceutique

Depuis les temps les plus reculés, l'homme a cherché des remèdes pour soulager ou guérir ses maux. Les premiers médicaments ou drogues étaient des produits bruts d'origine naturelle, végétale, animale ou minérale. Administrés au malade sous forme de décoction, d'infusion ou d'application locale, ils restaient l'apanage des sorciers et des charlatans. Les premières boutiques d'apothicaire, ancêtres de nos pharmacies, apparaissent en Europe dès le XIIIe siècle. Mais ce n'est qu'au XIXe siècle que l'industrie pharmaceutique se développe dans les pays occidentaux. Le développement de l'analyse chimique a permis d'isoler sous forme de produits purifiés les principes actifs contenus dans les drogues des anciennes pharmacopées. Le XXe siècle voit la naissance de la chimiothérapie qui utilise la fabrication de molécules nouvelles de synthèse venant compléter la gamme des médicaments d'origine naturelle. L'industrie cosmétique désigne les industries de la parfumerie, des produits de beauté et des produits d'hygiène. Elle recouvre donc une gamme très diversifiée allant des produits de consommation quotidienne comme le savon, le dentifrice, le shampooing à des produits tels que les parfums, considérés comme des objets de luxe.

Une histoire aussi vieille que le monde

L'histoire des parfums et des cosmétiques est aussi ancienne que celle de l'homme. Si à l'origine, dans l'Égypte ancienne, ils furent réservés au culte des dieux, ils furent très rapidement utilisés pour parfaire la beauté des femmes et parfois des hommes : les thermes romains et les hammams musulmans constituent avant la lettre de véritables instituts de beauté. Pendant tout le Moyen Age jusqu'à la Renaissance, le bannissement par l'Église des artifices de beauté provoque un déclin de la parfumerie en Occident. Le commerce reprend avec la Renaissance mais ce renouveau pour les parfums et les produits de beauté s'accompagne d'une rupture avec les habitudes d'hygiène : le parfum remplace la pratique du bain. Le règne de Paris sur le plan de la parfumerie commence au XVIIIe siècle. Déjà les plus illustres gantiers-poudriers-parfumeurs de la ville exportent leurs produits dans toutes les cours d'Europe. L'industrie de la cosmétique naît au milieu du XIXe siècle avec la civilisation industrielle moderne. L'apparition de nouvelles techniques de production, la synthèse de nombreux corps odorants et la mise à la disposition du cosmétologue de nouveaux excipients font de la cosmétique une branche de la chimie moderne.

Des recherches très élaborées, faisant appel aux techniques les plus modernes, sont à l'origine de chaque médicament. La première étape consiste à extraire d'un produit naturel ou bien à synthétiser une nouvelle substance active. Il reste alors à procéder à son expérimentation : tout d'abord in vitro, sur des microbes ou des cellules, puis in vivo, sur des espèces animales. Dès lors, on définit pour ce produit son activité, son métabolisme, ses incidences secondaires et sa toxicité. Deux préoccupations majeures orientent ces travaux de pharmacologie : efficacité et innocuité. Ces preuves étant faites, le principe actif ou plus exactement le médicament qui le renferme peut être administré à l'homme.

Une pompe dosant un volume constant pousse la pâte dans le tube et la presse jusque vers l'intérieur du bouchon ; toutes les opérations de conditionnement peuvent être exécutées à la cadence de 144 tubes par minute

Les produits cosmétiques, dont le marché est en évolution permanente afin de mieux répondre aux besoins exprimés par les consommateurs mais aussi aux modes, se répartissent en quatre familles. La parfumerie alcoolique se compose des parfums ou extraits, des eaux de Cologne et de toilette. Les produits de beauté comprennent les produits de maquillage et les produits de soin du visage et du corps. Les produits capillaires englobent les shampooings, les laques, les lotions, les colorants et les produits pour mise en plis. Enfin les produits de toilette se composent des savons, crèmes à raser, déodorants et dentifrices. Avant qu'un de ces produits soit commercialisé, il se passe plusieurs années de recherche pendant lesquelles celui-ci passe par la phase de conception, de mise au point et de fabrication industrielle. Le nombre de matières premières employées en cosmétologie est très important. Elles sont d'origine synthétique ou naturelle ; naturelles, elles peuvent être tirées du règne végétal (essence de plantes, huile d'amande douce, baume du Pérou), animal (cire d'abeille, lanoline), ou minéral (argile, talc).

C'est par le bec que la pâte est éjectée

Les tubes, déjà bouchonnés, sont présentés par le fond sous un bec de remplissage

Dentifrice

Les principes actifs (dérivés fluorés, bactéricides, vitamines) sont mélangés à de l'eau et à des charges minérales au pouvoir polissant (calcium, alumine) et non minérales (humectants, liants). Colorée et parfumée, la pâte est mise en tubes

Produit fini, il sera alors mis en boîte

Le tube va alors recevoir son habillage : étiquette, coloration

De strictes conditions d'hygiène préservent la pureté et évitent toute contamination du produit

...fabrication du ...e en alumi-...m s'est elle ...si effectuée au ...rs de plusieurs ...rations : filage, ...nage, deuxième ...sson, protec-...n intérieure, ...nage extérieur, ...ression, bou-...nnage, jointage

Une fois rempli, le tube est entraîné vers la machine suivante

Une machine effectue le double repli de la feuille métallique, fermant ainsi le tube

Comment naît un parfum ?

La création d'un parfum est une œuvre d'art. Il faut 2 à 5 ans pour « construire » celui-ci pièce à pièce. On procède par mélange de 200 à 250 composants, choisis judicieusement par le parfumeur créateur, le « nez », parmi plus de 3 000 matières premières aromatiques. La moitié de celles-ci sont d'origine naturelle (extraits de plantes ou d'animaux), l'autre moitié d'origine chimique ou synthétique. Le traitement des fleurs et des plantes se fait le plus souvent par extraction des huiles essentielles. Après dissolution du produit dans des solvants volatils, on procède à leur distillation. On récupère au fond de l'alambic l'essence sous forme d'une " huile concrète ", c'est-à-dire mêlée encore à des cires végétales. Cette huile est ensuite purifiée. Le mélange de ces matières premières va donner naissance au concentré qui, additionné d'alcool, conduit à un parfum ou à une eau de toilette.

Quel est le principe des aérosols ?

Utilisés en cosmétologie comme en pharmacie, les aérosols sont constitués par une ou plusieurs phases liquides renfermant le produit actif, et une phase gazeuse, le propulseur. Ces phases sont contenues dans des récipients en métal, en verre ou en plastique, fermés hermétiquement par une valve munie d'un poussoir. Lorsque l'on appuie sur celui-ci, la valve s'ouvre et le produit est expulsé par le gaz. Le remplissage de ces aérosols peut être fait à froid (− 20 à − 60 °C) ou sous pression à température normale.

Comment se présente un médicament ?

L'addition aux principes actifs d'un excipient inerte permet de donner au médicament la forme et l'effet recherchés. Pour une même substance active, il peut exister plusieurs présentations. Elle peut être mélangée à une poudre (cachet, gélule, dragée), ou dissoute dans une solution (lotion, sirop, ampoule buvable ou injectable) ou encore additionnée à d'autres produits comme des corps gras (pommade, suppositoire). Suivant le mode de présentation, le médicament est plus ou moins rapidement absorbé par l'organisme.

Médicament universel ou spécifique ?

De tout temps, l'homme a cherché le remède universel, l'élixir de longue vie, capable de le protéger contre toutes les maladies. Actuellement, les recherches s'orientent vers des médicaments à action spécifique, qui guériraient les seules cellules malades sans porter atteinte aux cellules saines. La lutte contre la mort est remplacée par la lutte pour la vie et la santé.

Pourquoi de nouveaux médicaments ?

Parce que toutes les maladies n'ont pas encore leur remède et que certains médicaments sont mal tolérés par l'organisme ou ne sont plus actifs par suite de phénomènes d'accoutumance, il importe de rechercher de nouveaux médicaments. Entre 1961 et 1977, il a été mis sur le marché mondial 1 330 nouvelles substances actives ayant abouti à des médicaments. Près d'un quart d'entre elles ont été découvertes aux États-Unis. Les autres pays d'invention sont la France (19 %), la RFA (13 %), le Japon (10 %), la Suisse, l'Italie et les pays de l'Est (7 %).

L'agroalimentaire: 4 milliards de bouches à nourrir

L'industrie agroalimentaire doit satisfaire les besoins de 4 milliards d'êtres humains. Elle est chargée de transformer des matières premières d'origine agricole ainsi que les produits de la pêche, convertissant donc des produits éminemment fragiles et périssables, voire vivants, en des denrées élaborées, de plus longue conservation et parfaitement standardisées. La variabilité des matières premières (lait, viande, céréales, fruits) et la diversité des habitudes alimentaires font la particularité de cette industrie. On ne peut la décrire qu'à partir de la notion de complexe agroalimentaire ou à partir de la notion de filière. Le complexe est constitué en amont par l'industrie agricole, appelée encore industrie de première transformation : laiterie, meunerie, abattoir. Traitant directement la matière première, ces exploitations sont souvent situées sur les lieux de production. En aval, on trouve les industries alimentaires qui sont implantées sur les lieux de consommation. On distingue les industries de seconde et de troisième transformation, selon le degré d'élaboration du produit. La filière caractérise l'itinéraire du produit depuis son origine, la terre ou la mer, jusqu'à sa présentation finale au consommateur. La filière viande, par exemple, a pour point de départ l'élevage et l'abattage (1re transformation), le désossage et la découpe en quartiers de viande (2e transformation) et enfin la fabrication de produits de charcuterie ou de plats cuisinés (3e transformation).

Plusieurs opérations de meunerie transforment la graine en farine. D'abord lavés, les grains sont calibrés puis conditionnés par humidification ou par séchage pour que la teneur en eau du grain soit voisine de 15 %. Les grains sont alors broyés dans des moulins par passage entre des cylindres cannelés, puis laminés. L'albumen est ainsi séparé du germe et du son (enveloppe du grain). C'est à partir de l'albumen que l'on prépare des semoules (broyages grossiers) ou des farines (broyages fins). La farine constituée de fragments d'albumen, d'amidon et de protéines est acheminée par des conduits d'ensilage (ci-contre) vers les silos.

Pétrin à spirale

Étirée par la spirale, la pâte devient lisse et élastique. Elle se gorge de l'air indispensable à l'action de la levure

Certaines cuves de 1,20 m de diamètre atteignent une capacité de 650 litres

Cuve en acier inoxydable

Le pétrissage permet de mélanger les différents constituants de la pâte (eau, farine, sel, levure). Sa durée varie entre 3 et 12 mn suivant les pétrins utilisés et la qualité de pâte désirée. A la fin, la température de la pâte atteint environ 25°

Pétrissage

La pâte est versée dans une diviseuse où un piston la pousse vers un cylindre rotatif : elle est ainsi sectionnée en pâtons au poids requis

Pesée

QUID?

Qu'est-ce que la lyophilisation?

Ce procédé de conservation consiste à déshydrater les aliments par le froid : pour cela, ils sont brutalement soumis à une température de – 80°C pour bloquer l'eau sous forme de glace ; puis sous vide, la glace est sublimée (la sublimation étant le passage direct de l'état solide à l'état gazeux). Les produits lyophilisés (lait, café, jus de fruits) se présentent sous la forme d'une poudre poreuse qui peut se dissoudre instantanément dans l'eau. Ils se conservent indéfiniment sous vide.

Comment fabrique-t-on le fromage?

Environ 13 % du lait produit dans les pays occidentaux est utilisé pour la fabrication du fromage. Le fromage est obtenu par caillage du lait, le plus souvent pasteurisé. Cette opération consiste à coaguler les protéines du lait (caséine) sous l'effet spontané de présure ou par acidification du lait. Une fois obtenu, le caillé est selon le cas brassé, découpé, égoutté plus ou moins et soumis à divers traitements : chauffage ou cuisson, pressage pour éliminer le sérum, salage et ensuite affinage. L'affinage est constitué par l'apparition de champignons (« fleur ») après ensemencement. Il est réalisé dans des conditions appropriées de température et d'humidité. Le camembert, par exemple, est obtenu par caillage et emprésurage du lait de vache. Après moulage, égouttage et salage, le fromage est affiné dans des hâloirs à 7°C et 95 % d'humi-

dité. La « fleur » (*Penicillium camemberti*) se développe pendant 3 semaines, tandis que la fermentation qui se produit parallèlement provoque un amollissement de la pâte.

Comment se prépare la bière?

La bière est obtenue par fermentation du malt d'orge, aromatisé de houblon. La première opération, la malterie, est la transformation par germination de l'orge en malt : les grains d'orge sont trempés dans de l'eau à 10°C pendant 2 à 3 jours, puis on les laisse germer pendant une dizaine de jours avant de les sécher. Au cours des opérations de brasserie, le malt est broyé dans de l'eau à 65°. Au liquide renfermant les sucres fermentescibles on ajoute le houblon ; ce

Sur le circuit de refroi-
dissement, les pains
« ressuient » en libérant
de la vapeur d'eau et
du gaz carbonique

Trancheuse

Pain de campagne
prêt pour la
livraison

Coupe et emballage

Ressuyage

Enfournement et
cuisson

Après leur séjour en
chambre de fermenta-
tion (45°), les pâtons,
qui ont triplé de vo-
lume, sont convoyés au
four chauffé à 250°

Fermentation

Préfermentation

Bouleuse

A leur sortie de la
diviseuse, les pâ-
tons sont ache-
minés vers la bou-
leuse. Sous l'effet
de la force centri-
fuge, les pâtons y
acquièrent la
forme d'une boule

*La panification indus-
trielle ne représente que
5 % des 3 500 000 tonnes
de pain vendues chaque
année. Elle concerne sur-
tout le pain conditionné,
qui peut sans inconvénient
rester frais pendant plu-
sieurs jours (il existe même
des pains « longue conservation »). Dès la sortie de*

*la chaîne de fabrication,
les pains et les baguettes
sont livrés dans différents
points de vente : épiceries,
boulangeries, grandes surfaces. Sur les pains conditionnés figure obligatoire-
ment une étiquette indi-
quant la date limite de
vente. A l'échéance de cette
date (généralement six
jours), les articles sont re-
pris et échangés. En raison
de l'extraordinaire image
du pain français à l'étran-
ger, l'exportation de produits frais et de « savoir-
faire » est actuellement à
l'étude.*

QUID?

mélange, appelé moût, est porté à ébullition pendant une à deux heures, ce qui libère les constituants aromatiques du houblon. Après filtration, on ajoute de la levure. Une première fermentation pendant quelques jours provoque la formation d'alcool. La levure est retirée. Le gaz carbonique se dégage au cours d'une deuxième fermentation. Après plusieurs se-maines, la bière est filtrée, puis pasteurisée et mise en bouteilles ou en tonneaux.

L'agroalimentaire est-elle importante?

L'industrie agroalimentaire est la plus im-portante du monde. Elle se caractérise par une élaboration très poussée des produits agricoles : 10 % seulement de ceux-ci sont consommés en l'état, c'est-à-dire sous forme de fruits ou de légumes frais. L'industrie britannique occupe la seconde place derrière les États-Unis, et la première place en Europe, où elle domine les secteurs des surgelés, de la biscuiterie, du thé et de la chocolaterie-confiserie. Grâce à la qualité de sa production (vins, liqueurs, produits lai-tiers), la France se situe au troisième rang des pays exportateurs derrière les États-Unis et les Pays-Bas, avec un chiffre d'affaires de 221 mil-liards de francs. Si dans les pays occidentaux, l'agroalimentaire se définit en terme de complexes nationaux ou internationaux, on ne peut parler, pour les pays en voie de développe-ment, que d'industrie de première transforma-tion comme la meunerie ou l'huilerie.

Comment ont évolué les techniques?

De tout temps, l'homme a cherché à conser-ver les produits de sa récolte, le plus souvent saisonnière (cueillette, pêche, chasse) afin de pouvoir disposer de nourriture quelle que soit la période de l'année. Les premières techniques de conservation faisaient appel au salage ou au fumage, dans le cas des poissons et des viandes, ou encore à la déshydratation, par séchage des fruits au soleil. C'est au XXᵉ siècle, grâce à la découverte de nouvelles techniques garantis-sant la qualité des aliments dans le temps comme l'appertisation (conserve), la congéla-tion, la surgélation et la lyophilisation que l'agroalimentaire est passée du stade artisanal à celui de l'industrie.

Les industries dans le monde

L'industrie n'était à l'origine que l'art de transformer les matières premières en richesses ; bousculée par l'amélioration des techniques, elle est devenue, dans une partie du monde, l'élément moteur de la croissance capitaliste. Puissante, elle s'est développée d'un pays à l'autre, les multinationales tissant des liens économiques complexes à travers le monde.

L'industrie dans l'économie

Il est courant de distinguer trois secteurs dans l'économie d'un pays : le secteur primaire (agriculture, élevage, pêche), le secteur secondaire (mines, construction, manufactures, eaux, électricité, etc.), et le secteur tertiaire (les « services » : banques, assurances, administration, commerce, transport, tourisme, loisirs). L'industrie représente le secteur secondaire, c'est-à-dire, en fait, la production de biens. A travers le monde, on distingue divers types d'économies : les économies où l'industrie produit pour un marché, pays à économie de marché (PEM), les pays à économie planifiée (PEP) et les pays en voie de développement (PVD), pays n'ayant pas atteint le décollage industriel, donc les pays à prédominance agricole.

De l'atelier à la multinationale

Dès le XIXᵉ siècle, une ségrégation s'est faite dans l'industrie ; autrement dit une distinction s'est établie entre « industries lourdes » et « industries légères ». Les premières nécessitant de gros investissements comme la sidérurgie (hauts fourneaux, trains de laminoirs), la construction navale, les extractions minières, etc., pour lesquelles les installations coûtent cher et sont longues à monter : il faut souvent près de vingt ans pour les amortir. Les sommes en jeu appellent l'association de plusieurs capitalistes, la création de sociétés par actions, des prêts à long terme. Les secondes nécessitent moins d'investissements. Parmi elles, les petites et moyennes entreprises (PME) sont souvent restées des affaires familiales. Dans bien des cas, il y a interférence entre les industries dans le sens où elles sont à la fois clientes et fournisseurs. Par exemple, l'industrie automobile fait travailler des sous-traitants pour certaines

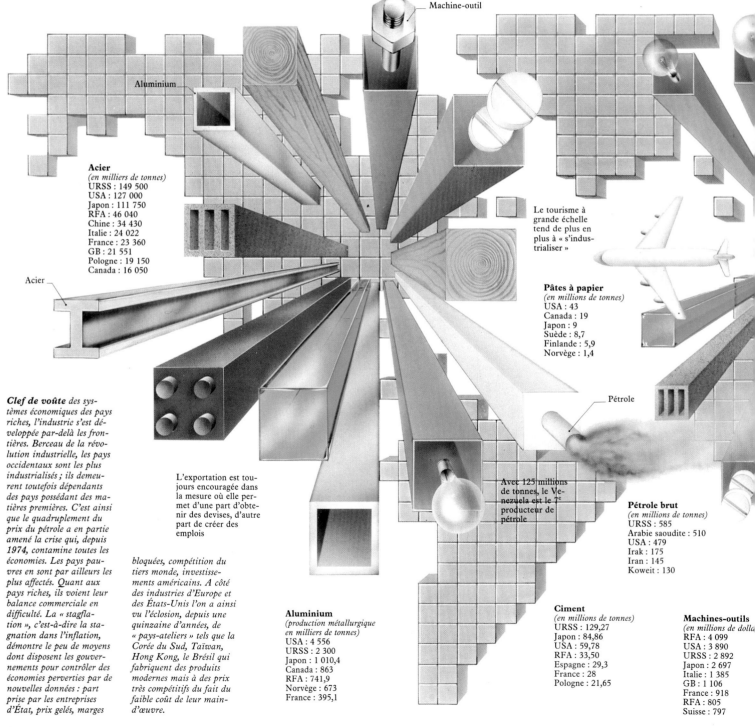

Machine-outil

Aluminium

Acier
(en milliers de tonnes)
URSS : 149 500
USA : 127 000
Japon : 111 750
RFA : 46 040
Chine : 34 430
Italie : 24 022
France : 23 360
GB : 21 551
Pologne : 19 150
Canada : 16 050

Acier

Le tourisme à grande échelle tend de plus en plus à « s'industrialiser »

Pâtes à papier
(en millions de tonnes)
USA : 43
Canada : 19
Japon : 9
Suède : 8,7
Finlande : 5,9
Norvège : 1,4

Pétrole

Clef de voûte des systèmes économiques des pays riches, l'industrie s'est développée par-delà les frontières. Berceau de la révolution industrielle, les pays occidentaux sont les plus industrialisés ; ils demeurent toutefois dépendants des pays possédant des matières premières. C'est ainsi que le quadruplement du prix du pétrole a en partie amené la crise qui, depuis 1974, contamine toutes les économies. Les pays pauvres en sont par ailleurs les plus affectés. Quant aux pays riches, ils voient leur balance commerciale en difficulté. La « stagflation », c'est-à-dire la stagnation dans l'inflation, démontre le peu de moyens dont disposent les gouvernements pour contrôler des économies perverties par de nouvelles données : part prise par les entreprises d'État, prix gelés, marges

L'exportation est toujours encouragée dans la mesure où elle permet d'une part d'obtenir des devises, d'autre part de créer des emplois

Avec 125 millions de tonnes, le Venezuela est le 7ᵉ producteur de pétrole

bloquées, compétition du tiers monde, investissements américains. A côté des industries d'Europe et des États-Unis l'on a ainsi vu l'éclosion, depuis une quinzaine d'années, de « pays-ateliers » tels que la Corée du Sud, Taïwan, Hong Kong, le Brésil qui fabriquent des produits modernes mais à des prix très compétitifs du fait du faible coût de leur main-d'œuvre.

Pétrole brut
(en millions de tonnes)
URSS : 585
Arabie saoudite : 510
USA : 479
Irak : 175
Iran : 145
Koweit : 130

Aluminium
(production métallurgique en milliers de tonnes)
USA : 4 556
URSS : 2 300
Japon : 1 010,4
Canada : 863
RFA : 741,9
Norvège : 673
France : 395,1

Ciment
(en millions de tonnes)
URSS : 129,27
Japon : 84,86
USA : 59,78
RFA : 33,50
Espagne : 29,3
France : 28
Pologne : 21,65

Machines-outils
(en millions de dolla)
RFA : 4 099
USA : 3 890
URSS : 2 892
Japon : 2 697
Italie : 1 385
GB : 1 106
France : 918
RFA : 805
Suisse : 797

pièces et est aussi cliente de l'industrie du verre, des textiles, des pneumatiques. Afin d'éviter la défaillance d'un fournisseur, les grandes compagnies ont tendance à prendre le contrôle de leurs sous-traitants ou à fabriquer elles-mêmes le maximum des ensembles dont elles ont besoin. Ainsi, de grandes entreprises ont pu être constituées, et ce, à partir d'un produit : Ford (automobiles), IBM (informatique), ou devenir des conglomérats gérant des capitaux énormes et diversifiant leurs investissements dans différentes activités.

Les fonctions de l'industrie

A l'origine, les usines fabriquaient des produits qu'un service commercial était chargé de vendre sur le marché intérieur et parfois d'exporter. Mais les usines sont devenues de vastes entreprises et si, dans un premier temps, les efforts d'organisation se sont portés sur le travail, il a fallu apprendre à les gérer rationnellement. Longtemps, les ingénieurs de la production ont eu pour rôle de produire plus, d'améliorer les prix de revient, de rechercher l'efficacité et le rendement. Aujourd'hui, ils ont été supplantés par les cadres du marketing car il s'agit de fabriquer ce que souhaite le marché.

Le marché et l'État

Sur les marchés, les produits industriels se heurtent à la concurrence d'autres produits nationaux ou étrangers. La concurrence porte essentiellement sur les prix, la qualité, le délai ; de plus, les techniques évoluant, certains produits se trouvent alors déclassés ou périmés. Cette confrontation permet à l'entreprise de se tenir au courant, de prévoir des perfectionnements ou le remplacement de ses produits. Quant à l'État, ses interventions sont multiples : d'abord en effectuant une ponction fiscale sur la production et sur les résultats, ensuite en imposant des normes techniques aux produits. Mais il protège aussi son industrie en imposant des tarifs douaniers ou des normes sur les importations. En diminuant ou augmentant la pression fiscale, en favorisant ou non les emprunts bancaires, l'État peut stimuler ou freiner le pouvoir d'achat.

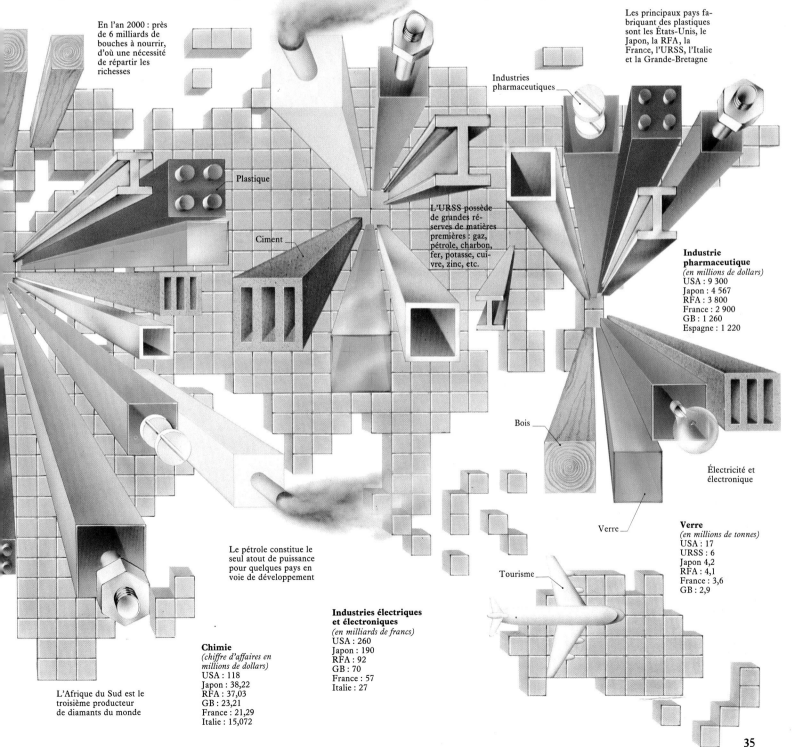

En l'an 2000 : près de 6 milliards de bouches à nourrir, d'où une nécessité de répartir les richesses

Les principaux pays fabriquant des plastiques sont les États-Unis, le Japon, la RFA, la France, l'URSS, l'Italie et la Grande-Bretagne

Industries pharmaceutiques

Plastique

Ciment

L'URSS possède de grandes réserves de matières premières : gaz, pétrole, charbon, fer, potasse, cuivre, zinc, etc.

Industrie pharmaceutique
(en millions de dollars)
USA : 9 300
Japon : 4 567
RFA : 3 800
France : 2 900
GB : 1 260
Espagne : 1 220

Bois

Électricité et électronique

Verre

Verre
(en millions de tonnes)
USA : 17
URSS : 6
Japon 4,2
RFA : 4,1
France : 3,6
GB : 2,9

Le pétrole constitue le seul atout de puissance pour quelques pays en voie de développement

Tourisme

Industries électriques et électroniques
(en milliards de francs)
USA : 260
Japon : 190
RFA : 92
GB : 70
France : 57
Italie : 27

L'Afrique du Sud est le troisième producteur de diamants du monde

Chimie
(chiffre d'affaires en millions de dollars)
USA : 118
Japon : 38,22
RFA : 37,03
GB : 23,21
France : 21,29
Italie : 15,072

De l'électricité à l'univers spectaculaire de l'électronique

Connue dès l'Antiquité par les phénomènes d'électricité statique (morceau d'ambre frotté attirant des particules de matière), l'électricité n'est encore, au XVIIIᵉ siècle, qu'une curiosité. Ce n'est qu'au XIXᵉ siècle avec l'invention de la pile de Volta et les découvertes d'Ampère sur les lois de l'électricité et leurs relations avec la chimie et l'électromagnétisme que les savants entrevoient des possibilités d'utiliser l'électricité dans l'industrie et la vie courante, l'éclairage, le téléphone, les moteurs, qui en sont les premières applications. A la fin du XIXᵉ siècle, un pas décisif est la mise au point de la production et du transport du courant alternatif, qui va permettre un développement rapide de l'industrie électrique. Au début du XXᵉ siècle fourmillent déjà les applications chimiques et mécaniques de l'électricité et les sciences dérivées, radio, rayons X et électronique naissent.

La consommation dans l'immédiat

L'énergie électrique est produite à partir de diverses énergies : hydraulique, thermique, nucléaire. Elle prend naissance dans des alternateurs : machines électromagnétiques qui, en tournant, produisent du courant électrique. Pour faire tourner ces alternateurs, on utilise soit des turbines actionnées par des chutes d'eau, soit des turbines mues par des machines à vapeur (la chaleur peut être fournie par du charbon, du mazout ou un réacteur nucléaire), soit encore des moteurs à explosion (petits générateurs autonomes). L'énergie électrique ne peut être stockée et doit être consommée instantanément. C'est donc la production que l'on ajuste à la consommation. Cela exige non seulement de disposer de la puissance nécessaire afin de répondre à la demande en « heures de pointe », mais encore d'avoir de grands réseaux interconnectant de nombreuses centrales pour utiliser au mieux la puissance disponible. Malgré toutes ces précautions, on se souvient des pannes récentes survenues à New York et en France (décembre 1979) par suite d'une surcharge du réseau électrique.

L'intérêt de l'électricité

L'énergie électrique doit son développement à la facilité de son transport sur de longues distances, par des câbles de haute tension. Grâce au courant alternatif ce transport est aussi économique. Les alternateurs donnent une tension de 15 000 V, le transport se fait sous 500 000 V, l'utilisation se faisant sous 220 ou 380 V. Des transformateurs élèvent ou abaissent la tension au départ et à l'arrivée.

Une industrie de l'électricité

Afin d'utiliser cette énergie fort commode, une multitude de secteurs industriels se sont spécialisés dans la fabrication de matériels électriques : éclairage (lampe à filament ou tube luminescent), chauffage (par résistance ou pompe à chaleur), moteurs, électrochimie, électrolyse, télécommunications (téléphone, radio, télévision). Dernière-née : l'électronique.

L'électronique, industrie de pointe

Les applications sont innombrables : télécommande, programmation, informatique. L'électronique était, au début, la science qui étudiait l'électron (c'est-à-dire la particule élémentaire chargée d'électricité négative, constituant de tous les atomes) et les tubes électroniques (émission d'électrons par une cathode) ; elle a ensuite permis de mettre au point une multitude d'inventions : le microscope électronique, le radar, le laser, les transistors et toutes leurs applications techniques dont l'informatique. Les progrès en ce domaine ont été considérables : au cours de la Seconde Guerre mondiale, les éléments ont pu être standardisés. La mise au point de la télévision liée au perfectionnement des composants électroniques a permis la réalisation des premiers ordinateurs. Dès lors on a pu parler de « révolution électronique ». Après le fantastique apport du « transistor », nous assistons, depuis quelques années, à un nouveau pas en avant grâce à la maîtrise et à la construction des modules (éléments comprenant d'innombrables transistors).

Lorsqu'un fil conducteur est chauffé à blanc par le passage d'un courant électrique, la lumière apparaît dans une lampe à incandescence. La fabrication des lampes a fait un pas de plus en matière de progrès, donc de qualité, lorsque le filament en tungstène a remplacé le filament de carbone, utilisé durant vingt ans dans l'ampoule Edison. Dans une usine moderne de fabrication d'ampoules, ce filament en tungstène a un diamètre parfois inférieur au 1/10 de celui d'un cheveu. La photo nous montre l'opération de spiralage qui consiste à enrouler un fil de tungstène autour d'un fil de molybdène.

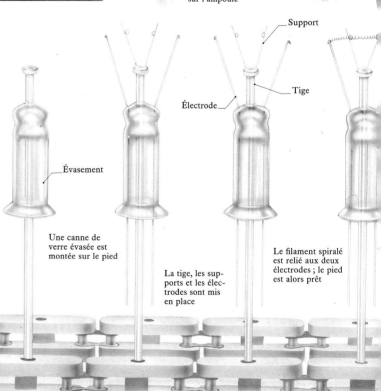

Du gaz, argon ou krypton, est alors injecté dans l'ampoule ; il permettra de limiter l'évaporation en créant une contre-pression à la vapeur de tungstène

La machine à sceller-vider fait le vide dans l'ampoule afin qu'il ne reste aucun élément gazeux oxydant

Sous l'action de la chaleur créée par les flammes des chalumeaux, le culot du verre fond. La collerette du pied est scellée sur l'ampoule

Support

Tige

Électrode

Évasement

Une canne de verre évasée est montée sur le pied

La tige, les supports et les électrodes sont mis en place

Le filament spiralé est relié aux deux électrodes ; le pied est alors prêt

Sur la machine à culot-
ter, les électrodes sont
enfilées dans le culot
préalablement enduit
de pâte à coller. Les
électrodes sont alors
coupées et soudées

Culot

Prélevé dans un bac
puis empâté, le culot
est amené sur le car-
rousel pour enfilage

L'ampoule est
prête ; il ne reste
plus qu'à la tester.
Le courant élec-
trique entre en
contact avec les
soudures : si le fi-
lament s'illumine,
l'ampoule est diri-
gée vers la ma-
chine à emballer

**Principaux types
de lampes**
A incandescence
Standard
Krypton
Tubes fluorescents
Lampes spéciales
A halogène
A vapeur de sodium
haute et basse pression
Aux iodures métalliques
A vapeur de mercure
Infrarouge

Empaquetées par
deux, les am-
poules restent
avec leur culot
dégagé afin de
pouvoir être tes-
tées devant le
client

**La révolution de l'élec-
tronique** *a contribué à
changer profondément la
vie quotidienne dans les
pays industrialisés. Parmi
les applications impor-
tantes de ce secteur, la télévision constitue l'exemple
le plus spectaculaire. Per-
formance scientifique, elle
est la solution concrète du
problème de la transmis-
sion d'images à distance.
La transmission a été éten-*

*due à toute la planète, le
satellite constituant l'an-
tenne la plus haute du
monde. Construits en
grande série, les postes de
télévision font dès lors partie du mobilier de l'homme
moderne. La photographie
nous montre la phase de
montage d'un tube-image,
grosse ampoule de verre à
l'intérieur de laquelle on a
fait le vide. La structure
d'un tube-image est tou-
jours la même ; à l'arrière :
trois canons à électrons
(un par couleur) ; plus en
avant : une plaque métallique percée de milliers de
trous et l'écran sur lequel
se forme l'image.*

Les opérations
d'assemblage sont
effectuées par des
machines auto-
matiques

Après avoir été soi-
gneusement lavé, le
verre est positionné sur
le pied, ou queusot,
c'est-à-dire qu'il est
placé exactement au
centre de l'espace inté-
rieur. Une fois cette
étape d'assemblage ef-
fectuée, l'ampoule est
dirigée vers la machine
à sceller

Lorsque le robot remplace l'homme

Au début des années 1980, les robots pénètrent en force dans l'industrie des pays développés, en particulier au Japon, aux États-Unis et en France. Le terme robot a été inventé en 1921 par l'écrivain tchèque Karel Čapek, qui imaginait dans sa pièce *R.U.R.* que les machines devenues intelligentes se révoltaient contre l'humanité et prenaient le contrôle de la Terre. Fort heureusement, c'est dans un contexte plus rassurant qu'intervient l'utilisation industrielle des robots : il s'agit de remplacer l'homme dans un certain nombre de tâches, en général par de simples automates programmables.

Les automates programmables

En quoi ces automates programmables constituent-ils un progrès par rapport aux machines-outils « à commande numérique », c'est-à-dire pilotées par ordinateurs ? Machines à commande numérique et robots de première génération ont en commun leur automatisation : c'est un programme se déroulant dans un ordinateur qui commande la succession des opérations effectuées par l'appareil. Mais le robot industriel possède une « flexibilité » beaucoup plus grande que la machine à commande numérique qui ne peut accomplir qu'une tâche bien particulière. Le robot de première génération idéal serait universel ; il pourrait réaliser n'importe quel mouvement programmé. On s'approche de cette situation idéale en construisant des robots ayant un grand nombre de « degrés de liberté » ; par exemple un bras avec deux ou trois articulations (ses « coudes » et ses « poignets »). Ce bras est guidé une première fois par un homme, et ses déplacements sont alors mémorisés par l'ordinateur.

Voir et saisir des objets

Les robots de seconde génération, les seuls qui méritent vraiment leur nom, sont caractérisés par une capacité de reconnaissance de leur environnement. Ils disposent de sens : « vision » (caméra de télévision, télémètre laser, sonar) associée ou non à un « toucher » (jauges de contrainte, par exemple). Beaucoup plus complexes que ceux de la génération précédente, leur développement se situe au confluent des sciences de l'automatique et de l'informatique, dans le domaine de recherche qualifié « d'intelligence artificielle ». Leur introduction dans l'industrie en est à ses tout débuts, mais elle promet d'ouvrir à l'automation toute une nouvelle classe d'activités : le transfert des pièces à l'intérieur de l'usine et leur assemblage.

Les ateliers « flexibles »

Les robots de première et de seconde génération peuvent se substituer à l'homme dans les productions de très grande série (industrie automobile). Mais, une grande partie de la production industrielle (environ 70 %) est constituée de petites séries fabriquées dans des ateliers de mécanique générale. Ceux-ci utilisent des machines-outils, vouées chacune à une opération de transformation particulière (perçage, tournage, etc.). Ce type d'activité pourra être réalisé dans des ateliers « flexibles », autrement dit des ateliers de mécanique générale où toutes les machines-outils sont commandées par un ordinateur central.

Les robots destinés à manipuler divers objets (avec une pince préhensible) sont dotés d'un degré « d'intelligence artificielle » bien supérieur à celui des « manipulateurs programmables ». Dans ce cas, le robot possède une capacité de « vision » (avec caméra de télévision) qui lui permet de reconnaître la forme d'un objet d'après un « catalogue » stocké dans sa mémoire, de le localiser sur le plan de travail, de s'en saisir, et de le placer selon son type à l'endroit et dans la position voulus. La mise en œuvre de ces robots a exigé des progrès très importants dans le domaine de la reconnaissance des formes. Des robots « intelligents » sont capables de trier des centaines de pièces différentes placées pêle-mêle dans un lot.

La main de préhension est « universelle » et sensible ; elle permet de prendre la pièce sans modifier sa position

Pince préhensible du robot

Le poignet du robot possède trois degrés de liberté de mouvement

Il n'existe pas de forme standard pour les robots. Selon l'utilisation à laquelle on le destine, un robot, constitué d'un assemblage de modules standard, peut avoir une structure horizontale, verticale ou en portique

Les robots « soudeurs » réalisent une soudure point par point, à 45 mm les uns des autres, avec des « poignets » qui leur permettent de disposer leur « main » à l'emplacement et dans la position désirés

Les métiers de l'industrie

L'industrie fait travailler plus de la moitié de la population active. L'évolution des techniques, les transformations du milieu économique, les aspirations nouvelles des salariés et des populations ont amené petit à petit les entreprises à s'organiser de façon plus efficiente. Ces nouvelles données ont entraîné une parcellisation de plus en plus importante des fonctions. Tout d'abord, le service des recherches étudie différents programmes et les soumet à l'« état-major » de direction chargé d'établir un programme définitif et de décider des moyens de fabrication. Le service de production organise le travail et le confie au service de fabrication qui l'exécute. D'autres services s'occupent de contrôler la réalisation, de gérer le budget, d'entretenir le matériel et de négocier l'écoulement des produits finis. Il existe, au sein même de la fabrication, une multitude de métiers qualifiés et spécialisés : lamineur, tôlier, linotypiste, soudeur, mouliste, fraiseur, etc. On peut noter une diminution des emplois dans l'industrie charbonnière, textile, de l'habillement et du cuir et, en contrepartie, une augmentation très forte dans celles de la chimie, du caoutchouc, de la presse, de l'édition et de la distribution des pétroles. Toutes les entreprises ont en commun un certain nombre de postes pour organiser et encadrer le travail de fabrication.

Industriel

Il étudie, décide, organise, anime et contrôle tous les services de la firme qu'il dirige. Principal responsable de la gestion et de l'exploitation de l'entreprise, il se tient en permanence au courant de son évolution tout en tenant compte des besoins de la clientèle, des transformations du marché, du budget dont il dispose et des structures de l'entreprise. Avec l'aide du conseil d'administration et de l'état-major, il décide des orientations que doit prendre l'entreprise et veille à leur exécution.

Ingénieur de production

C'est à lui que revient la charge d'assurer la réalisation des programmes de fabrication. Dans un premier temps, il définit les moyens de production de l'entreprise, teste le programme établi et coordonne les opérations de fabrication. Si besoin est, il décide des modifications nécessaires en cours de réalisation afin d'assurer un rendement meilleur dans les unités de production.

Responsable d'ordonnancement

Agent de liaison entre le service commercial d'où partent les commandes et la fabrication qui les exécute, il prépare et répartit le travail tout en surveillant qu'il soit exécuté dans les conditions et les délais souhaités. En relation avec tous les services, son bureau est parfois appelé bureau central ou plaque tournante.

Technicien des méthodes de production

Il choisit les procédés de fabrication les mieux adaptés à la réalisation d'un produit fini. Du service d'ordonnancement, il reçoit les informations qui vont lui permettre de déterminer les besoins en matériel et en main-d'œuvre. Pour cela, il tient compte du temps nécessaire à chaque opération, du coût et des délais à respecter.

Agent de lancement

Chargé d'assurer le « lancement » de la fabrication dans les ateliers, ce technicien est en relation avec le service d'ordonnancement qui lui fournit les programmes. Il suit le début de la réalisation et prévient le responsable d'ordonnancement en cas de difficultés. Assisté des chefs d'atelier, il se tient sans cesse au courant de l'avance des travaux et s'efforce de résoudre les problèmes rencontrés.

Chef d'atelier

Responsable de la production d'un atelier, c'est à lui que revient la charge d'examiner tout d'abord le programme de fabrication pour, ensuite, distribuer le travail aux chefs d'équipes chargés de le répartir aux différents opérateurs. Il travaille au sein même de l'atelier.

Chrono-analyseur

Il calcule de façon précise les temps d'exécution des opérations effectuées dans les ateliers : cadence des approvisionnements, rapidité des opérateurs et déplacements. Il décompose chacune de ces opérations et les chronomètre. De ses observations, il établit une moyenne qui va permettre d'aménager au mieux les postes de travail dans l'atelier.

Contremaître du service entretien

Il assure le bon fonctionnement du matériel. Pour cela, il prévoit les équipes d'entretien, les dépannages de nuit et veille au respect des normes de sécurité, étant responsable en cas d'accident. Sur un chantier, il doit faire attention au matériel utilisé : tour, meule, instrument de mesure, etc.

Agent technique des coûts de production

En partant des temps d'exécution et des séries d'opération, ce comptable industriel calcule les prix d'usinage. Il gère la comptabilité des éléments de fabrication et étudie les possibilités d'améliorer les seuils de rentabilité des productions.

La commande des mouvements des robots est hydraulique

Tuyau d'amenée des différents types de peintures

Tête de projection de la peinture

Les robots « peintres » sont équipés d'une « trompe d'éléphant » qui leur permet d'accéder aux recoins les plus difficiles des carrosseries automobiles ; ils mémorisent et reproduisent tous les gestes de l'ouvrier qu'ils remplacent

L'homme et le robot font bon ménage : le second est au service du premier. Les robots industriels ont trouvé leurs premières applications dans le domaine de l'industrie automobile, pour les tâches de peinture et de soudure. Il s'agit là de travaux répétitifs, se déroulant dans une ambiance pénible, où la substitution des robots aux travailleurs humains ne présente que des avantages. Les robots utilisés ne sont pas des robots possédant un degré élevé « d'intelligence artificielle », mais de simples « manipulateurs programmables ». Autrement dit, ils sont capables d'accomplir une certaine « manipulation » (mouvement de la tête de peinture) suivant un « programme » inscrit dans leur mémoire. Selon les besoins, ce programme peut être modifié. C'est ce à quoi s'occupe le technicien ci-dessus.

Dans la même collection

LES **DOSSIERS SPECIAUX** DU GRAND QUID ILLUSTRÉ

AUX SOURCES DE L'ENERGIE

LES **DOSSIERS SPECIAUX** DU GRAND QUID ILLUSTRÉ

LA GRANDE AVENTURE DU RAIL

LES **DOSSIERS SPECIAUX** DU GRAND QUID ILLUSTRÉ

NATURE ET ENVIRONNEMENT

LES **DOSSIERS SPECIAUX** DU GRAND QUID ILLUSTRÉ

LES AUTOMOBILES

ROBERT LAFFONT

LES **DOSSIERS SPECIAUX** DU GRAND QUID ILLUSTRÉ

LA PÊCHE: SPORT ET METIER

ROBERT LAFFONT

LES **DOSSIERS SPECIAUX** DU

LA MAGIE DU CINEMA

ROBERT LAFFONT

GRAND QUID ILLUSTRÉ

LA PHOTOGRAPHIE

ROBERT LAFFONT

Auteur

Alain Dumas, *docteur ès sciences*
maître assistant à l'université de Paris-Sud

Illustrateurs

Noël Blotti : p. 12/13
Pierre Bon : p. 5
Bertrand Chauveau : p. 28/29, p. 32/33
Gérard Franquin : p. 4
Michel Gilles : p. 14/15, p. 26/27, p. 30/31
Raymond Hermange : p. 10/11, p. 36/37,
p. 38/39
Jean-François Mezzasalma : p. 16/17
Georges Olivereau : p. 18/19/20, p. 21/22/23
Nicolaë Razumieff : p. 34/35
Jean Tardiveau : p. 8/9

Crédit photographique

La lecture de ce crédit photographique se fait
de gauche à droite et de haut en bas. Le
numéro de la page, en caractère gras, précède le
nom du lieu de conversation ou du photo-
graphe suivi du nom de l'agence.

4 H. Roger-Viollet ; Holzapfel ; **6** Chambre
Syndicale de la Sidérurgie Française ; **8**
Jourdes-Edimages ; **10-11** Bazin-Pechiney
Ugine-Kuhlmann ; SCAL-ALBAL ; **13** Cycles
Peugeot ; **14-15** Rennaise de Préfabrication ;
Boutin-Atlas-Photo ; **16-17** Mazda ; Rémy
Poinot ; **21** ODIP ; **23** Hubert-Seita ; **24**
CIRFS ; **25** Laffont-Sygma ; **29** Thomson-
Brandt ; **30** Fat-Roussel Uclaf ; **32-33** Centre
d'Information de la farine et du pain ; Bernard-
ERL ; **36-37** Sté Claude ; Laffont-Sygma ; **39**
Rémy Poinot

Couverture
Maquette : Daniel Boudineau
Illustrations : Jean Tardiveau ; Rémy Poinot ;
Jourdes-Edimages ; Fat-Roussel Uclaf

Réalisation technique, Françoise Radux
Imprimé en Italie par G. CANALE & C. Turin
et relié par A. BRUN à Malesherbes.
N° d'éditeur : 5790
Dépôt légal : mai 1985